DE8129609287 -

BLEUE

Micheline La France
BLEUE

roman

LIBRE
EXPRESSION

Illustration de la couverture: Photographie Quatre par Cinq Inc.

Maquette de la couverture: France Lafond

Composition et mise en pages: Helvetigraf, Québec

Dépôt légal:
1er trimestre 1985

ISBN-2-89111-215-6

Chapitre 1

LE VENTRE

Je suis à Montréal depuis deux ans. Je décide de renouer avec cette peau de vache de Jacques qui me laisse tomber perpétuellement depuis huit ans, j'appelle à la station de radio où je viens de reconnaître sa voix à faire roucouler une girafe, il me dit: Josse, viens manger à la maison demain soir, tu vas rencontrer Micheline. Tu notes que je n'exagère pas en parlant de peau de vache! Je fais: c'est qui Micheline? Il répond: c'est ma femme; elle est écrivain. — Tu ne veux pas dire qu'elle publie des livres, et tout? Il hésite un peu pour l'effet, puis dit posément: oui. Il sait qu'il a touché, il ne s'inquiète même pas de savoir où, c'est son genre. Je suis bouche bée, béate, bêtasse. Il m'a eue sans même m'avoir cherchée, le salaud!

J'arrive évidemment le lendemain et, dès le vestibule, je comprends que je vais être démasquée côté couche sociale à cause de mes souliers Zellers qui laisseront une trace de caoutchouc partout où je poserai le pied sur ce plancher de bois franc fraîchement poli. Je suis piégée, c'est la déconfiture, mais ça ne suffit pas à m'arrêter, tu penses bien. C'est Jacques qui vient à la porte, toi, tu n'as pas jugé indispensable de quitter ton ragoût dont les vapeurs m'ont assaillie comme le couteau nord-africain sur la gorge du héros blanc dans les westerns italiens des années soixante. C'est peut-être une timide, me dis-je, les auteurs ont l'habitude de ne pas aimer se faire voir. Non.

Dès l'abord du salon ouvert sur la spacieuse cuisine gor-
gée de plantes vertes qui dansent sur les mètres de dentelle
blanche couvrant les fenêtres, je t'aperçois venant vers
moi, les bras ouverts. Je sais à quoi m'en tenir, le mystère
est percé dès le premier regard: tu es une obèse. Dissimu-
lée sous l'enveloppe fragile d'une longue fille à cheveux
noirs, tu ne peux pas me tromper. Je reconnais les mar-
ques de l'obésité empreintes sur ton sourire. Tu provo-
ques: la bouffe, la lumière, les plantes, la vie crachée au
visage comme un défi, méprisant ouvertement la plus élémentaire décence, tu me colles à ton corps et m'embras-
ses sur les deux joues. Quand tu me lâches, enfin, je reste
là, plantée comme un cactus dans un champ de blé mûr,
luttant désespérément pour éviter de prendre racine.

Nous siégeons au salon comme on fait chez les gens
bien élevés et je peux enfin disparaître derrière mes yeux
pour filtrer une à une les impressions qui se bousculent en
moi. Jacques rayonne. Il va, vient, sert l'apéro, s'informe sur ma santé, mon travail, ma vie. J'invente. Je
construis. Corrige. Je mens. Il faut causer et... oui, l'automne est magnifique avec l'amoncellement des feuilles
sur le trottoir et... qu'est-ce que j'en ai à foutre de votre
automne et de sa féerie de couleurs? Je l'emmerde l'automne, comme j'ai emmerdé l'été, le printemps et *tutti
quanti*! Au fond de mon trou, c'est noir opaque jour
après jour et plus une goutte de lumière ne pénétrera jusqu'à moi.

Jacques est beau. Il avait les yeux verts, je me souviens, les yeux de ma rivière en crue, les yeux de ma joie
ouverte à toute folie. Jacques a toujours les yeux verts
mais il ne me voit pas. Il n'a jamais eu de regard que pour
la joie. Il me questionne comme un enquêteur en service.
Qu'est-ce que je fais de bon ces temps-ci? Est-ce que
j'aime mon travail? Suis-je retournée à Hull? Ah non?
C'est étonnant! Gnan, gnan, gnan!.. Ce qu'il peut être
crétin! Comment retournerais-je chez moi? Il n'a donc
rien compris? Jamais? Et toi, Micheline, tu me regardes
et tu me vois et... je sens brusquement mon maquillage
couler le long de mes joues et tu me dis que non, mais je

vais vérifier, où est la salle de bains? Au fond du couloir. Merci.

Je me lève. Ma jupe me colle aux fesses, j'ai pourtant mis un jupon mais ces tissus synthétiques, et ces affreux souliers qui marquent le parquet, qui impriment ma trace partout où je pose le pied dans cette maison maudite!...

La salle de bains, moment d'intimité comme au temps de l'enfance pour échapper au tumulte de mes frères, pour fuir le regard dément de ma mère! La salle de bains, mon évasion, mon éden, mon nirvãna! Le masque est intact, tu avais raison, Micheline, pourtant, il m'avait semblé... Je fais couler l'eau dans le lavabo, comme ça, sans raison, juste pour la regarder couler, juste pour savoir l'écran de l'eau entre vous et moi. Qu'est-ce que je fais dans cette maison?

J'étais venue voir Jacques, ce morceau d'éternité égaré dans mon antre il y a huit ans, cette porte entrouverte sur la lumière contre laquelle je n'ai cessé de me casser la figure depuis. J'avais mis vingt-deux mois à le haïr entre les quatre murs de mon taudis, vingt-deux mois à cracher sur la beauté du monde aperçue dans le vert de ses yeux il y a huit ans, vingt-deux mois à extraire de ma peau les derniers restes de souvenir. J'étais venue lui dire: «Regarde-moi bien, c'est moi, Josse, ce cadavre ambulant, cette loque qui n'a plus d'humain que le cri, cette pourriture qui déambule de nuit dans les couloirs souterrains de la ville. Regarde l'envers de la vie dans mes yeux: c'est ton œuvre. Tu es l'illustre auteur de ma déchéance. Mais tu ne t'en tireras pas comme ça. Je te suivrai à la trace. Partout où tu te croiras à l'abri, je serai là et je te cracherai ma haine au visage et...

— Ça va, Josse? Tu as besoin de quelque chose?
— Non, non, ça va, merci.

Il faut revenir en scène. Allons, un peu de courage. Retoucher le masque. Mes mains tremblent, il ne faut pas. J'étouffe. Comment fait-on pour respirer, déjà? Ah oui, un, deux, trois... là, ça peut aller.

— Je parlais à Micheline de ta passion pour les livres. C'est incroyable ce que tu pouvais ingurgiter de volumes à l'époque. Tu lis encore beaucoup?

— Évidemment, je suis abonnée à la bibliothèque, alors tous les samedis...

Je serre les poings pour m'empêcher de trembler. Rien à faire. Ma voix zigzague à la sortie. Jacques n'a rien vu mais toi, tu me regardes. Tu sais déjà. Je sens tes yeux fouiller à l'envers de ma peau. Comment échapper à ce regard? Ma haine reste bloquée au fond de ma gorge. Tu vois mon malaise. Tu proposes qu'on passe à table.

Je devine le piège. Vous ne m'aurez pas! Je reçois votre rire, votre joie, votre paix comme une habile réclame de papier-cul. C'est un spectacle rodé qui ne lésine pas sur les effets spéciaux. On fait semblant, comme pour la photo de noce autour du gâteau. On attend de moi que je participe à la fête, que j'inscrive mon nom dans l'album souvenir. Et moi je devrai feindre d'honorer les talents culinaires de l'auteur! J'avalerai tout, mine de rien, la régurgitation n'en sera à son heure que plus jouissive.

J'étais venue chez Jacques pour lui injecter le venin de ma haine et le voilà encore qui se défile. Jacques n'a plus rien à voir avec Jacques; il est devenu deux et même trois avec sa femme obèse et son auteur. Tes yeux sont partout, devant, derrière, autour de moi. L'obésité affective est la pire de toutes, elle distrait, on pourrait oublier de se méfier. Tu bouges avec les longs mouvements du félin qui s'ajuste au confort. Vous riez tous les deux, la joie passe entre vous et tu poses sur mon front votre paix échangée. Tu caresses en général, sans vérification préalable, sans la moindre inquiétude quant au juste retour des choses. C'est quand même singulier cette paix crachée à la face des gens avec une telle négligence. Jamais vu chez un être un tel surplus, un tel gaspillage d'affection, comme un volcan géant qui crache inlassablement ses étreintes brûlantes bien au-delà de Jacques, au-delà de vos murs de dentelle, défiant l'épaisseur de la nuit. Ça

n'en finit plus de déborder, ce regard posé sur moi et qui
fouille à l'envers de ma peau en quête d'un chant perdu.
Qui es-tu, Micheline? Qu'est-ce que tu me veux au juste?

— Micheline travaille sur un roman dans le
moment; ça s'appelle *Bleue*.

— Bleu... comment bleu? Bleu tout court?

— Oui. Bleue, c'est le nom de mon personnage.
C'est une fille.

— Ah bon! Et qu'est-ce qu'elle fait dans la vie,
Bleue?

— Justement, elle arrive au monde. Alors, elle
regarde, elle découvre, elle ressent et puis... elle s'amuse
beaucoup!

— Je vois... oui... intéressant!...

Jacques s'empresse d'intervenir.

— Bleue, tu comprends, c'est une manière de perce-
voir, c'est la beauté toute nue qui s'incarne, c'est la conscience d'exister! C'est... comment dire?... L'imaginaire
qui s'incarne, oui, c'est ça et qui... heu... qui se façonne
un espace et... de plus en plus grand... Et alors c'est ça,
quoi!... L'espace de l'imaginaire!

Vous vous payez ma tête tous les deux ou je ne m'appelle pas Josse! Qu'est-ce que c'est encore que cette histoire d'imaginaire incarné? Une nouvelle secte avec pré-
ceptes de se tenir à deux pieds du sol, la face contrefaite,
les yeux fixés aux nuages? Ainsi l'auteure de Jacques
donne dans l'imaginaire! Je ne devrais pas m'étonner, au
fond! Je n'ai qu'à rappeler à ma mémoire certaines soirées à la radio de Hull... Jacques le rêveur... Jacques le
nostalgique... La vie était pour lui partout ailleurs que
dans ses deux souliers. Jacques le poète, nous y voilà!
Mais à l'époque, la poésie, on en parlait le cul dans
l'herbe, pas à une table bourgeoise avec dentelle et cou-
pes de cristal! C'est maman qui devrait être ici, elle serait
heureuse à en crever! Causer tranquillement d'imaginaire en dégustant un fin bordeaux, je me demande si ça
lui est jamais passé par la tête! Chez nous, les pauvres, on
appelle les choses par leur nom. Quand ma mère s'est

mise à décoller de la réalité, on s'est dit: «Elle est folle» et on l'a enfermée. Il n'y a pas de justice, c'est entendu. Ici, les folles, on leur fournit un cahier et elles versent dans l'imaginaire, c'est fascinant! Voici que Jacques a épousé une folle; après tout le mal que je me suis donné pour conserver mes esprits, on m'y reprendra!

— Et... ça s'adresse à qui, ton roman?
— À toi, Josse.
— À moi?
— Oui. Bleue ne peut pas exister sans toi.
— Alors là, Micheline, tu m'excuseras, il faut que je te dise tout de suite que oui, bon, je lis des tas de choses et souvent n'importe quoi et même de la poésie à l'occasion mais... Les expériences d'imaginaire incarné, franchement, ça n'est pas mon genre. Moi, tu comprends, ce serait plutôt le terre à terre en général et en particulier. Les vraies histoires du vrai monde qui arrivent pour vrai. La réalité quoi! Jacques te le dira, mon histoire à moi, c'est de l'*arborite* authentique et du contre-plaqué véritable. Rien de bien transcendant. La condition humaine sans tralala! Un coup, une claque, un coup, une claque, voilà, c'est tout. Et je n'ai pas la moindre parcelle d'espace à consacrer à ton imaginaire.

Votre rire se déchaîne comme à un gag de boulevard! Parce que, en plus, on va se mettre à me trouver sympathique! Là, vraiment, c'est trop fort! Vous me cherchez! Je vous fais rire? Le seul moment dans cette soirée où je dis les choses franchement, et c'est le délire! Jacques ramasse la parole qui traînait sur un coin de table et s'envole pour un long périple sur le sens de la vie, le plaisir, la quête du beau, c'est beau, beau, beau!... Toi, Micheline, tu souris. Ce sourire entre vous exclut la gent souffrante invitée à votre table. Non, non, je sais, vous ne méprisez pas, vous répandez la joie. Comme le soleil de juillet, votre chaleur brûle les peaux trop fragiles...

Je ne dis plus rien. Mes yeux sont fixés au spectacle. Mais dans ma tête, les mots déboulent. Je serre les dents pour les contenir. Vous me dégoûtez, tous les deux!

Votre cirque est odieux! Une injure à l'angoisse humaine! C'est pas tout le monde qui peut s'offrir une vie prête-à-porter avec confort, musique, amour et dentelle, sans angoisse ni souci matériel, sans manque affectif, sans responsabilité familiale ou autre, avec en prime une démarche intellectualisante vers les confins ouatés de l'imaginaire! Qu'est-ce qu'on fait pour se mériter une vie pareille? On la décroche à la loterie? En général on rage, on transpire, on a des dettes, personne ne s'intéresse à soi, on est seul, on se terre dans un sous-sol parce que c'est le seul trou qu'on a les moyens de s'offrir, on sait que rien ne nous arrivera jamais parce qu'on a fait la gaffe de venir au monde à Hull d'une mère folle et d'un père alcoolique et qu'on s'est retrouvée à dix ans avec une famille de six sur les bras! Voilà la vie qu'on mène en général, en tout cas, moi c'est la mienne et vous me chatouillez le gros nerf avec votre sérénité!

Nous en sommes aux petits fours. Bien sûr, un café noir bien tapé, je dis merci. Et ça repart. Qu'est-ce que je fais encore ici, tu peux me le dire? Le coup du choc en retour à ma passion de jeunesse: plutôt raté! Me voici devant un couple banal qui s'offre bisous et roucoulades en faisant étalage de son garde-manger! Je suis faite comme un rat! Votre bonheur? Je n'en ai rien à foutre et dites-vous bien une chose: je ne le partagerai jamais. Je ne suis pas opportuniste, moi. Je prends la vie telle qu'elle est et telle qu'elle est, la vie, c'est une salope, on ne me fera jamais dire le contraire. Jamais!

Il faut que je sorte, ça ne va plus, ça tourne... La table de rotin cède sous mon poids et voilà une bonne partie du souper étalé sur le tapis tressé: la sauce, le vin, le café, les gâteaux, c'est du joli! Mais je ne vais pas avoir honte, vous l'avez cherché!

Je voudrais couper court aux adieux mais vous faites les choses en grand. On s'embrasse tour à tour, on promet de se revoir, on a encore tant de choses à se dire... Jacques veut me ramener en voiture; j'insiste pour rentrer seule en métro. Tu me fourres un cahier dans les mains, qu'est-ce que c'est? *Bleue*, dis-tu, il faut que je l'emporte, j'en ferai ce que je voudrai, c'est à moi, tu me le donnes. Je n'en veux pas. Tu insistes. Bon, ça va, bons baisers, à bientôt.

Je me retrouve sur le trottoir, *Bleue* sous le bras et je pleure toutes les larmes de mon corps. Chaque pore de ma peau est une plaie vive dont le cri se perd dans le silence de cette nuit d'automne qui n'en finit plus de se coucher sur la ville.

Enfin chez moi. Je tourne le loquet et je reste debout devant la porte fermée longtemps, très longtemps, serrant mon cœur dans mes bras pour l'empêcher de s'échapper. Que s'est-il donc passé?

Depuis deux ans que je suis là, c'est la première fois que je vais chez des gens. Je n'ai pas d'amant, pas d'ami, aucune relation. Rien. Ma vie sociale, c'est moi. Du bureau à mon trou: le métro. Sans échange. Sans visite à domicile. Sans contact. Chacun pour soi. Je ne suis rien pour personne. Personne n'existe pour moi. Depuis deux ans. Depuis le jour où ma route m'a conduite à la ville quand je venais vers Jacques. Ouverte. Offerte. Vivante. Depuis que Jacques m'avait fermé sa porte. Depuis que l'humanité m'avait vomie comme un corps étranger.

J'étais entrée dans ce sous-sol pour échapper aux regards. À la lumière. Pour y trembler ma vie. Pour y noyer mon âme. À force de trotter matin et soir dans les couloirs souterrains de la ville, à force de n'être plus qu'un infime élément de la foule égarée, ma douleur s'était tue. Je m'étais oubliée. Au fil des jours, j'avais senti pousser mon dard en excroissance à l'endroit où les moines tibétains affirment avoir un troisième œil. Ma peau avait durci. Mon sang figé, noirci. J'étais devenue fourmi. Ne m'étais plus sentie concernée que par la survie de ma race. N'avais plus eu de passion que pour la savante distillation de ma haine en venin. Un jour, je marcherais seule vers le camp ennemi. Je rencontrerais

Jacques face à face et lui planterais mon dard au cœur.
Sans plaisir ni ostentation. Par nécessité.

Je m'étais préparée à rencontrer un homme; pas un
couple. Un couple, c'est un matelas qu'il faut monter jusqu'au quatrième: il n'y a pas de prise. C'est mou, c'est là,
ça résiste. Je m'épuise à chercher les yeux de Jacques, la
porte de son cœur. Il louvoie. On me regarde. Des yeux
sont derrière moi. Devant. Autour. Partout. On s'introduit dans mon être par un orifice inconnu alors que je
croyais avoir bouché toutes les issues. Quel est donc ce
canal qui s'entête encore à recevoir le monde? Mon dard
frappe et rencontre à chaque coup le regard bouclier de
Micheline. Mes pinces s'émoussent à la surface obèse de
son plaisir de vivre. Mon armure craque. Je suis touchée.
J'ai mal à moi. Infiniment. Il faudra prendre le temps
d'examiner mes plaies. La survie de ma race comporte
aussi le soin aux blessés. Oui, bien sûr, sans plaisir ni
ostentation. Par nécessité.

Je dépose l'histoire de Bleue sur la table. Je ne la lirai
pas. Il reste deux bières dans le frigo. Mon cœur veut
éclater. Une douche, oui, de l'eau à grands jets sur mon
corps! Laver jusqu'à l'envers de ma peau! Chasser le cri
de moi! Le regarder fuir par le renvoi d'eau! Savoir qu'il
trouvera son chemin vers l'égout. Qu'il viendra s'ajouter
comme un sang reconnu à l'immense pollution de la ville.

Je retrouve la paix de mon antre. Ma table en *arborite*. Non, je ne lirai pas *Bleue*. Prendre une dernière
bière. Me glisser dans mon lit au matelas bosselé. Dans la
chaleur de mon trou. Dans le ventre de ma vie.

Le livre de Bleue

Ah oui! je vois.

Je suis le cœur d'un monde aquatique généré par mon plaisir, par le rire qui danse en moi depuis mon premier moment de vie. Jusqu'ici, le rire s'allongeait dans l'eau un moment et me revenait diffus, confondu à l'élément insaisissable qui chatouillait quelquefois jusqu'à l'indécence ma curiosité de fœtus nouvellement conçu. De fait, oui, je me demandais: au bout de l'eau, au bout de cette paix chaude et mouvante, qu'y a-t-il? Mais déjà, le paradoxe; je coulais invariablement dans le sommeil avant d'avoir touché le sens de ma veille.

Aujourd'hui, je vois. J'ai pris le temps d'aller jusqu'au bout de l'eau et je ne me trompais pas: il y a vraiment quelque chose. Mon monde est ouvert sur un monde sphérique comme le mien. Mais différent du mien. Partout au bout de moi, quelque chose vit. Une chose qui a sa propre respiration, sa propre musique, sa propre joie. C'est hallucinant. Je me demande si on pourra jouer ensemble.

J'ai veillé plus longtemps aujourd'hui. C'est bon d'aller vers le sommeil avec des images neuves. Jusqu'au silence.

Je pousse! Quel phénomène étrange. Au premier moment, je n'étais qu'une toute petite pensée recou-

verte d'une enveloppe fragile de même nature que le
monde que je venais de désirer. Mais progressivement,
à mon insu, cela s'est transformé. L'espace où je vis
devient moi, un peu comme si j'étais en train de le dévorer pouce par pouce. Ainsi, j'occupe de plus en plus
d'espace et il m'en reste de moins en moins à explorer.
Et le mouvement semble irréversible.

Lorsque tout l'espace sera devenu moi, qu'adviendra-t-il? Y aura-t-il un ailleurs où je pourrai de nouveau
bouger et me laisser bercer?

La boule que je suis s'allonge par le bas et une divi-
sion de mon être semble ainsi s'amorcer. Il y a d'un côté
ma tête, masse compacte abritant un nombre serré de
circonvolutions au creux desquelles niche et se nourrit
ma pensée; de l'autre, un ventre qui lui, brusquement,
dédaigne la forme sphérique et s'étire d'une manière
anarchique. Quatre appendices y sont greffés, ne
répondant à aucun impératif d'ordre esthétique ou pratique, excroissances, pour le moment, aussi inutiles
qu'encombrantes.

Lorsque je bouge, l'élément liquide qui me recouvre épouse le rythme de ma mouvance et la prolonge
indéfiniment. Cette sensation délicieuse laisse poindre
un chant fragile formé de longues notes retenues les
unes aux autres par un fil imperceptible, dont je devine
qu'il pourrait bien n'être pas étranger à mon sourire
d'exister.

Le monde auquel je bois m'apparaît doué, tout
comme moi, de la faculté de penser. Cette découverte
me laisse perplexe.

Tout à l'heure, en m'étirant les jambes, il m'est
arrivé par mégarde de frapper d'un coup net la paroi qui
limite mon espace. À l'instant où j'allais savourer le
plaisir nouveau de ce toucher — révisant du même coup

mon jugement sur l'utilité des membres noués à mon
ventre — un choc bref mais violent parcourut mon
corps tout entier comme une réponse. Le moment de
surprise passé, je tentai de nouveau l'expérience, cette
fois avec un bras: la réaction fut immédiate. Quelle
fête! Non seulement de l'autre côté de moi cela vit,
mais cela pense! On reçoit mon message et on y
répond. Bon, notre langage est encore bien primaire,
mais nous y verrons. On a le temps. Tout n'est pas
encore dit. Maintenant qu'on sait que j'existe, on ne va
sûrement pas se défiler.

En somme, ce premier contact avec la chose a fait
naître en moi un curieux désir: j'aimerais qu'elle vienne
jusqu'à moi. J'aimerais la regarder. L'espace que j'habite n'est pas très grand, j'en conviens, mais je ferais de
mon mieux pour lui ménager une place à l'intérieur de
ma boule. Ainsi, bien au chaud, on pourrait converser à
voix basse comme des esprits bien élevés.

Mais — c'est bien ça l'embêtant — cette chose qui
pense au bout de moi et qui m'intéresse au plus haut
point, si j'allais ne pas l'intéresser, moi? En effet, qui
me dit que ce que je suis est aussi pour cette chose-là le
bout du monde?

Nous sommes en contact. La chose au bout de moi
se plaît à accueillir mes pensées et à m'offrir les sien-
nes, enveloppées d'une paix colorée en fines touches
joyeuses. Le jeu commence dès mon réveil et se poursuit souvent jusque dans mon sommeil. Les images
glissent longuement les unes sur les autres, se déta-
chent, se bousculent en riant, dénichent un coin dans
ma tête où elles donnent l'impression de vouloir se
fixer, puis repartent sans attendre mon rire. Quelquefois, le mouvement s'interrompt pour une image qui a
besoin d'un grand espace à occuper; toute autre image
est alors chassée de ma tête et j'observe, ébahie, le
nouvel ordre des choses se recomposer avec aisance
sur les vestiges de l'ancien.

Liée à la chose par le cœur de mon être, je regarde pousser mes bras, mes jambes, et j'écoute en riant le chant tranquille de la vie qui enfile une à une nos notes reconnues.

La chose au bout de moi porte un nom chaud et rond et vaste et plein, qui convient parfaitement au monde qui me recouvre et me nourrit: elle s'appelle MÈRE. Et cela me rassure d'apprendre que notre jeu lui est aussi nécessaire qu'à moi. Son désir de moi est entier et je reçois son sourire comme une évidence intime. Avant de m'endormir, ma mère m'a demandé mon nom. Je lui ai dit: «Je m'appelle Bleue.»

Je suis logée avec un tel confort qu'il m'arrive aujourd'hui de frissonner à l'idée de devoir sortir d'ici. Car l'issue semble inéluctable. En effet, mon espace rétrécit à un rythme inquiétant et je vois poindre le moment où il me faudra trouver un autre nid. J'avoue que ce déménagement ne me sourit guère.

Ma mère pense que je devrais envisager les choses avec sérénité. On voit bien que ce n'est pas elle qu'on va déloger! Je la soupçonne même, à certains moments, de souhaiter mon départ de son ventre comme une délivrance. Nous nageons dans l'horrible!

De fait, son plan est tracé: je sortirai d'ici, gentiment, sans faire d'histoire et j'irai la retrouver sur sa boule à l'envers où l'espace ne manque plus à personne. Il m'est arrivé, il est vrai, dans mes moments les plus délirants, de souhaiter faire le voyage, d'imaginer comme une aventure plausible mon apparition dans le monde de ma mère. Mais soyons sérieux! Ne me forçons pas à prendre mes rêves pour la réalité!

Et d'ailleurs, par où sortir? Ma boule est hermétique. J'ai bien cherché, il ne s'y trouve aucune issue. Dans quel ouragan veut-on me lâcher? Quelle révolu-

tion mondiale entend-on me faire déclencher? Non, je
ne marche pas. Je suis sédentaire, pacifique et j'ai horreur d'être bousculée. Ce monde qui m'appelle a-t-il
mieux à m'offrir que cette paix chaude où je baigne
depuis mon premier moment de vie? Qu'ai-je à faire des
mirages qu'il me propose insidieusement? Est-ce que je
ne vois pas tout, d'ici où je suis? Toute la vie ne se joue-
t-elle pas ici, dans l'enceinte nourricière qui dépose une
à une les notes de son chant au cœur de mon silence?

Après de longues négociations, nous venons de
conclure un accord qui satisfait les deux parties. J'irai
vers ce monde où ma mère me réclame mais à deux conditions. La première: elle m'indiquera l'itinéraire car
d'où je suis, la route est loin d'être évidente. La
seconde: je donnerai moi-même le signal du départ en
exécutant ma plus jolie culbute. D'ici là, on respectera
formellement le statu quo.

De fait, je dois convenir que cette mère en connaît
beaucoup plus sur ma situation que moi sur la sienne.
Par exemple, c'est une évidence pour elle que le rétré-
cissement de mon monde menace mon existence et
que, conséquemment, sortir d'ici s'impose à moi
comme une nécessité. D'où tient-elle cette finesse
d'esprit? Moi, je saisis mal encore son mode de vie, je
n'arrive pas à imaginer par quel procédé magique son
monde sans paroi peut contenir la chaleur nécessaire à
la vie. Au sourire. Alors ma mère caresse notre ventre
longuement et nous coulons ensemble dans un sommeil infini.

Je suis prête. Je jette un dernier regard au monde
qu'on m'oblige à quitter et, mine de rien, j'en saisis un
morceau que je cache à l'envers de ma peau. Oh! tout
petit, histoire de ne pas oublier. Il n'y a pas de risque à
prendre, le nouveau monde doit fourmiller de distrac-
tions.

*Bon: le signal. Non... pas tout de suite, n'agissons
pas à l'aveuglette. Dans l'état d'obésité où je me trouve,
bouger me demande un effort considérable, il est donc
prudent de bien mesurer la situation. Quelle idée stu-
pide c'était de proposer une culbute! On aurait pu s'entendre sur une chiquenaude ou un clin d'œil! Si seulement je pouvais m'accrocher à quelque chose. Sur
toute sa surface, la paroi est lisse et se dérobe... Peut-
être qu'une légère pression des pieds... en étirant un
peu les jambes... Ça va... ça va même très bien... Et floc!
Me voilà tête en bas! J'espère que l'on me reçoit bien de
l'autre côté. Bon, c'est amusant comme croisière, à
condition d'en revenir. Je compte jusqu'à trois et je
remonte. Un... deux...*

*Mais... que se passe-t-il? On dirait... que mon lac se
vide... que l'eau s'échappe... mais où va-t-elle? J'ai
besoin d'eau, moi! Mère, au secours! Ouvre-moi la
porte de ton monde! Mère, ma boule éclate! Elle se
comprime sur mon corps en violentes secousses, en
vomissant les eaux qui me nourrissent. Ne la laisse pas
m'étouffer. Ouvre-toi à moi, mère, je viens te rejoindre.
J'arrive.*

*Oh! un filet de lumière pénètre jusqu'à moi et je
perçois une minuscule ouverture. Ça ne peut pas être la
mienne, jamais je ne pourrai m'engager dans un corri-
dor aussi étroit. On me bouscule, mère! On me crache
avec mes eaux vers un monde qui me ferme sa bouche.
Mère, accueille-moi, je t'en prie! Je vais me faire toute
petite...*

*Ton cri déchire la porte et chacun de nos mouve-
ments bouleverse mon univers. Il fait noir. J'étouffe.
Ton mal et ta peur me donnent le vertige. Brusquement,
je suis projetée vers un gouffre qui génère un tumulte
effroyable. Une main de fer s'est collée à mes tempes et
achève d'arracher mon corps à son noyau. Un froid cui-
sant me pénètre jusqu'à l'os. Le temps s'arrête. Infiniment.*

*Le cri s'échappe de moi et se mesure à un nouvel
espace dont les limites reculent en louvoyant. On me
dépose sur une masse de chair chaude qui savoure une
paix durement gagnée. L'air entre à petits coups en moi*

par le milieu de mon visage et en ressort chargé d'un troublant mélange de peur et de confiance. On coupe le cordon qui me liait à l'ancien monde.

Puis, comme une évidence, les bras de ma mère recouvrent mon corps doucement et me pressent sur son sein. J'ouvre la bouche mollement, trop mollement pour savoir... Voilà, je suis au monde. Oui, nous pouvons dormir.

Je suis éveillée par mon cri au cœur de la nuit. Couverte de sueurs, je n'ose bouger la tête tant la vision qui s'offre à moi est horrible. Tu es encore là devant moi, énorme masse suintante, molle, inerte et blanchâtre, noyée dans la graisse, offrant ton corps en pâture à des pairs minuscules et agités qui s'affairent inlassablement sur toi. Au regard immense posé sur moi, je te reconnais aussitôt.

C'est inhabituel pour une fourmi d'être invitée à souper dans une termitière mais j'avais été conviée par un prince; cela devait me servir de garantie, si les choses se gâtaient. Nous nous étions croisés par hasard, lui et moi, et j'avais été fascinée par ses quatre ailes qui reflétaient la lumière du matin; moi, je suis une fourmi guerrière, on m'a conçue sans sexe, ni ailes, ni rien, mais j'ai des mandibules extrêmement aiguisées grâce auxquelles la survie de ma race est assurée. Et nous avions causé à voix basse de ses rêves de prince. Il m'avait dit: «Tu comprends, Josse, la noce approche. Elle et moi, nous nous envolerons hors des murs, nous boirons la lumière et nous danserons jusqu'au bout de la vie notre plaisir de vivre.» Je lui criais: «Non, Jacques, non, n'y va pas! La noce te tuera et tu seras impitoyablement dévoré par celle que tu crois être ta fiancée. Aucun mâle n'a jamais survécu à la noce, cela ne s'est jamais vu.» Le petit prince termite riait et la joie de ce rire m'arrachait le cœur: «Si tu avais un sexe, Josse, et des ailes, et une robe blanche comme les femmes de ma race, je te prouverais subito que tu es dans l'erreur. Vous autres, fourmis, vous vous imaginez avoir créé une civilisation supérieure en éliminant vos mâles après l'insémination de vos reines. Chez nous, les mâles sont épargnés et nous restons fidèles à cette tradition. Tu veux savoir pourquoi? Le sacrifice de ses mâles coûte cher à ta race, car en les supprimant, vous détruisez le

rêve. Chez nous, le mâle entre avec la reine fécondée dans
la termitière; on le nourrit, on le lave, on le soigne, on le
dorlote et il passe sa vie couché auprès de la mère pon-
deuse qui n'en finit plus de répandre la vie, il l'aime et il
nourrit ses rêves. Chez vous, c'est l'anarchie côté fécon-
dation. Bon, vous créez des êtres sur mesure selon vos
besoins, mais vous épuisez vos reines qui s'assèchent à
procréer dans le noir sans le moindre souvenir des noces.
Viens dîner demain soir, je te présenterai Micheline, c'est
une auteure. Tu verras comme elle est ronde, belle et
pleine de rêves.»

Je suis devant la porte; Jacques ouvre et me conduit,
à travers des catacombes interminables, dans une pièce
qui crache une lumière si vive que j'en ai les yeux brûlés.
Et soudain, comme deux images qui se superposent, je
vous vois: lui, les ailes arrachées, un sourire de réclame de
dentifrice collé à la face et toi... toi... ce gigantesque
amas de graisse étendu sur une multitude de coussins
soyeux occupant toute la chambre nuptiale, offrant ton
corps dégoulinant de crème fouettée à des monstres
minuscules, blanchâtres et ailés. Et puis, ton regard posé
sur moi, cette sérénité offerte qui me glace d'horreur et
arrache de mon ventre le cri qui m'éveille...

L'aube s'infiltre à travers les minces craquelures du
store. Je me lève malgré les courbatures et mets de l'eau à
chauffer pour un café instantané. Je dois chasser ce cauchemar mais c'est difficile, j'ai si peu l'habitude des
rêves. Normalement, au réveil, je ne me souviens de rien.
Chacun de son côté: le rêve au sommeil, moi à la vie, et
c'est très bien ainsi. Mais voilà qu'aujourd'hui ça se
passe autrement et je suis désemparée. L'image s'impose
à moi comme si elle m'arrachait de mon corps pour me
coller à elle. Comme hier soir... l'étreinte de cette femme
obèse cachée sous l'apparence d'un long corps d'adolescente. Cette invitation dans la termitière ressemble assez
à une capture. Je ne retrouve pas la sortie car Jacques a
négligé ses devoirs d'hôte pour se vautrer ignominieuse-
ment dans les plaisirs de la crème fouettée. J'essaie de
courir, mais les semelles de mes souliers Zellers restent

désespérément collées au bois verni des corridors de la
termitière aux murs de dentelle blanche. Qu'est-ce qui
m'arrive? Le café est dégueulasse; pas le moindre grain
de sucre dans cette maison.

Je prends une douche — la troisième depuis hier
soir — cherchant à extraire de ma peau cette odeur de
vomissure qui s'imprègne et je m'entends vociférer contre ces savons bon marché achetés en sac de douze à l'épicerie, les seuls que je puisse m'offrir. Bêtement, pour
ajouter à l'angoisse qui m'oppresse, aujourd'hui c'est
samedi. Rien ne viendra me distraire de ma vision d'horreur. Je regarderai sur mon réveil de voyage passer les
heures et je devrai en compter quarante-huit avant qu'on
soit lundi. Alors seulement, je serai libérée. Alors, je
prendrai le métro dans mon petit tailleur sténodactylo et
je croiserai des gens d'une race différente de la mienne,
qui me divertiront. Alors, je pourrai oublier cette histoire
et le rire béat de mon prince termite.

Mais d'ici là? Sortir de ce trou. Emprunter l'autobus
pour une balade sans but, me glisser dans la foule, cette
bête silencieuse qui s'invente un mouvement dans l'agita-
tion absurde de ses cellules dénoyautées. Traîner ma nuit
dehors et lui faire prendre l'air. Oui.

Dans l'autobus, je suis à l'abri. Les maisons défilent devant moi sans se préoccuper de mon regard et j'imagine à loisir les vies qui s'y déroulent. Le samedi, chez les gens, on s'occupe de la maison. On y range les objets, on la frotte, on reprend contact avec sa chaleur, on refait le plein de victuailles, on jette ce qui ne sert plus, on s'attarde à un vieux journal qui déterre un souvenir avec lequel on passera quelques instants. On renoue avec le temps. On recrée son espace.

Moi, je n'ai pas de maison, à peine un abri où me terrer, la nuit, pour échapper aux regards. Je n'occupe aucun espace, je ne possède rien, ma mère a tout bouffé: la vaisselle, la table, les illustrations aux murs, les commodes, les tapis, tout.

Un jour, la supérieure du couvent est entrée dans ma classe et m'a dit: «Ma petite Josse, rentrez chez vous immédiatement. On vous réclame. Et surtout, ne traînez pas en route.» Ma mère me réclamait, moi, Josse, dont elle s'était toujours fichée comme de sa dernière chemise? Non, c'était impossible… La religieuse avait dit «on»… Qui pouvait bien me réclamer à la maison au milieu d'un exercice d'arithmétique? Louis et Jean-Marie étaient trop jeunes pour se servir du téléphone; Roger, pensionnaire dans un collège aux frais des Jésuites; mon père, à l'usine Eddy, plutôt économe question congés; il ne restait qu'elle, ma mère.

J'arrive à la course. Dans l'entrée, les enfants sont blottis l'un contre l'autre, le plus jeune noyé dans sa merde, qui tente de consoler l'aîné aux prises avec un accès d'angoisse qui secoue son corps de convulsions. L'odeur de cette merde est à jamais collée à ma peau. Dans la salle à manger, mon père, écrasé sur la table, ne lève même pas un regard sur moi. Je m'entends crier:

«Mais qu'est-ce qui se passe ici?» Il tourne la tête vers la cuisine. Ma mère, — je ne l'avais jamais vue aussi grosse, aussi pleine de viande morte — armée de ciseaux et d'un balai, achève de découper les rideaux de tulle en chantonnant. «Ah, c'est toi, Josse? Viens m'aider à faire le ménage, ma grande, tu veux bien?» Et brusquement, les éléments du décor se recomposent. Pas un recoin de la maison n'a été épargné. Le bœuf haché et le boudin sont collés aux murs; les tomates étuvées casquent le crucifix qui saigne comme aucun père de l'Église ne l'a espéré dans ses rêves les plus sadiques; le contenu de chaque commode est répandu sur les prélarts; le service de vaisselle a dansé un sabbat dont pas un morceau n'a été épargné; les boîtes de conserve, soigneusement ouvertes, ont été vidées devant mon père sur la table de la salle à manger et constituent un potage dont la consistance et les couleurs auraient sans doute ravi les convives des orgies romaines, mais fixe néanmoins sur le visage de l'homme un masque de perplexité rigoureusement indicible.

Et le ventre apaisé de ma mère ouvre de ses cisailles le silence de cette fin du monde pour y poser, en notes douces, un chant venu d'ailleurs. Je me souviens d'avoir prononcé ces mots: «Mais, maman, on n'est pas samedi.» Alors, l'énorme chose est venue vers moi et m'a soudée à son corps dans une étreinte démoniaque, armée de ciseaux et de balai: «À partir d'aujourd'hui, ma douce enfant, nous serons tous les jours samedi.»

Je n'avais pas bougé. Le temps s'était arrêté et je l'avais regardé s'arrêter, comme je le regarde, depuis, s'arrêter tous les samedis. J'avais dix ans et je soutiens encore qu'on m'a trompée. Nous n'étions pas samedi, nous étions mercredi. Ma mère fut conduite à l'asile et moi, j'entrai dans la maison. Dans sa maison piégée pour y jouer son rôle.

Chapitre 2

LA MAISON

En rentrant, je retrouve ton manuscrit sur la table, un cahier dont le regard s'impose à mon corps comme un vertige. Je revois tes yeux sombres posés sur moi et je cherche la source lumineuse inondant mon espace d'une clarté qui m'arrache les yeux. J'ai mis des années à me creuser un trou, un abri minuscule qui me soustrairait aux regards et m'apporterait, sinon le réconfort, du moins la certitude que rien, jamais, ne viendrait violer cet espace, que pas une goutte de lumière ne pénétrerait désormais jusqu'à moi. Il fallait oublier, tu comprends, repartir à zéro, sans espoir et sans rêve. La rivière m'avait menée en ville et j'y étais, pour rien. Et j'y restais, pour rien. La ville? Un dépotoir déguisé, fardé. Fermé au monde. Toute musique s'était tue en moi. Toute curiosité, éteinte. Mes yeux avaient fait demi-tour dans leur orbite et je ne connaissais plus du monde qu'une peine infinie. Je suivais le troupeau qui va à l'abattoir. Mais, étais-je vraiment résignée?

Avant la ville, au commencement, il y avait eu l'eau, la force tranquille de l'eau comme un chant qui s'impose parce qu'on le reconnaît en soi. Chez moi, c'était la rivière des Outaouais furieuse et belle au printemps, ivre de vie, impatiente de joie, s'échappant de son lit pour narguer nos fragiles abris et débusquer au fond de nos caches nos peurs et nos silences. Et nous tremblions, en effet, chaque printemps, et nous combattions la rivière,

aveuglés par la haine, impuissants à participer à cette fête
de la lumière à laquelle nous étions conviés. Et la rivière
domptée, repliée sur elle-même, s'entêtait à chanter sa
mouvance. À lécher, nettoyer, polir les roches de ses grèves.

Notre maison tournait le dos à la rivière mais de la
petite fenêtre de ma chambre je surprenais, derrière la
procession lourde et puante des billots vers l'usine Eddy,
la force occulte de l'élément occupé à sa danse. Là, je
rêvais en secret de fêtes mythiques et de formules magiques proférées à voix basse. Et pendant qu'on domptait
la rivière, qu'on déféquait en elle, qu'on lui volait son
âme, la voix chantait toujours et s'imposait à moi, de
plus en plus précise. Comme un son reconnu, accueilli,
nourri. Comme une longue plainte logée dans le noyau de
mon cri.

Je ne cherchais pas Bleue. Je nourrissais ma haine à
l'abri, dans un sous-sol humide qui ne savait plus rien de
la force de l'eau. Je me terrais loin de mes grèves, dans
l'oubli tenace de toute lumière. J'avais laissé ma vie derrière, loin derrière moi, comme un colis encombrant.
J'avais été trahie, volée, souillée. Quelqu'un devrait
payer. Rien ne pourrait contrer l'élan de ma vengeance.
Aucune écluse ne résisterait à ma débâcle. Le temps venu,
je retrouverais Jacques et...

Que savais-tu de moi, Micheline, le soir de cette première rencontre? Quelle image spectrale Jacques t'avait-
il peinte de moi? T'avait-il dit la peur qui m'étranglait?
Avait-il au coin de l'œil ce soupçon de tendresse que je lui
connais bien, pour te parler de mon souffle de bête tra-
quée? Savais-tu qu'à dix ans je lisais déjà, enfermée dans
ma chambre, quatre à cinq livres par semaine? Que rien
ne m'échappait des cruautés humaines? Que je suivais,
traçant au crayon rouge sur une mappemonde collée au
mur, l'évolution de la guerre aux quatre coins du monde
racontée quotidiennement par le journal du soir?
Connaissais-tu l'existence du cahier noir où je notais par
ordre d'importance les monstruosités apprises au cours

de mes recherches? T'avait-il raconté ma fascination pour l'horreur? Ma passion pour les insectes? Non? Jacques est tellement distrait, il aura oublié... Que savais-tu de moi pour poser sur mon front ce regard insistant, étreignant toute ma vie, chaque parcelle d'énergie coulée en moi comme un cri à l'envers de ma peau? Pour déjà, dès le premier moment, me parler de Bleue?

Je relis Bleue qui chante dans le ventre de sa mère. Les mots entrent en moi à grands coups comme si j'avalais une pleine fiole d'huile de foie de morue. J'éprouve un mal de chien à étouffer la plainte qui veut sortir de mon corps. Est-ce que je m'amusais, moi, dans le ventre de ma mère? Quand elle a su qu'elle était enceinte de moi, le choc a provoqué dans ce dépotoir gluant un début de fausse couche. Quand tu dois t'accrocher de toutes tes forces à un placenta pour éviter de crever, les pirouettes intellectuelles fœtales, tu laisses ça à d'autres!

Ma mère! D'où vient que son souvenir me poursuive à nouveau? Je l'avais laissée derrière moi, au fond de cette folie d'où personne ne pourra plus l'extraire. Cette femme m'est étrangère. Qu'avons-nous en commun, elle et moi? Le prix des choses, peut-être... Pouvait-elle éviter de sombrer? Qui a jamais tendu la main à cette naufragée? Qui l'a jamais aimée?

Ma mère a épousé le premier venu sur l'insistance de son père. On dit qu'elle était belle: les hommes la désiraient. Si elle eût été laide, ils l'auraient dédaignée. Mais qui était ma mère? Qui habitait ce corps, jadis superbe, puis devenu informe, contrefait par la graisse? On ne la jamais su.

On l'a traînée de force au pied d'un autel qui ne la concernait pas. Dans sa famille, les femmes rêvaient beaucoup. On lui avait promis un amant aux yeux de velours, un prince charmant couvert d'or et de pierres précieuses. L'image de mon père n'était pas à la hauteur du rêve. C'était un ouvrier, batailleur, fort en gueule, plus enclin à fréquenter les tavernes que les châteaux d'Europe. Et c'est une fiancée aux yeux rougis par les larmes qu'on mena à l'autel, une brebis sacrifiée qu'on allait dévorer. Elle n'a jamais dit oui. On a pris ses sanglots pour des larmes de joie, on l'a tirée de force jusqu'au centre de la piste pour danser sur son corps, puis on l'a enfermée, avec balai, plumeau, savon et tout, dans un taudis en contre-plaqué pour y enfanter des monstres dont on dirait plus tard, dans un accès de compassion: «Ces pauvres petits méritaient mieux que ça.»

Roger est né au bout de dix mois, fêté par son père, rejeté par sa mère. Un corps étranger avait poussé en elle, à même sa propre substance, sans son accord. Chaque heure de cette grossesse avait été vécue comme un viol s'ajoutant à une chaîne étrange dont elle n'arrivait plus à repérer le premier maillon. Elle entonnait quelquefois une berceuse près du lit de l'enfant; on la trouvait alors endormie sur le plancher de la chambre, le visage couvert de larmes. On ne s'inquiétait pas outre mesure; la science médicale, appuyée sur une longue expérience de la maternité, avait calmé l'inquiétude naissante du nouveau père: «Après l'accouchement, il arrive que la mère subisse une légère dépression. C'est une situation provisoire; l'instinct maternel, naturel chez la femme, aura tôt fait de conduire votre épouse à une totale acceptation du rôle que la nature décerne aux femmes.»

Le provisoire s'installa et dura. L'instinct maternel faisait défaut à ma mère, de même que l'instinct sexuel — jugé quantité négligeable — les femmes normales étant naturellement privées de tout désir charnel, à moins d'être perverses. Elle était toujours belle, on tournait encore la tête sur son passage, bien qu'elle n'ait pas perdu le léger embonpoint acquis au cours de sa grossesse. Curieusement, les manies de femme enceinte persistaient après la délivrance: chocolat, crème glacée, friandises, gâteaux, boissons gazeuses. Le temps passé à s'empiffrer augmentait au rythme des migraines, aller-

gies, maux d'estomac, fatigue chronique qui autorisaient
«la malade» à repousser les avances sexuelles de
l'homme, négligeant du même coup les soins exigés par
l'enfant et l'entretien du nid familial.

Cinq ans plus tard, ses quatre-vingts kilos lui assu-
raient une victoire confortable contre les désirs de son
mâle qui se voyait contraint de trouver à ses ébats romantiques une conjoncture indépendante de celle qui abritait
ses projets familiaux. Si bien que je me demande encore
aujourd'hui quelle farce olympienne commanda cette
coucherie qui donna lieu à ma conception. Mon père aura
bu plus que d'habitude, ma mère, détourné un moment
l'attention et hop! voilà, c'est moi, je suis là et j'entends y
rester!

D'aussi loin que je me souvienne, s'il y eut jamais
entre nous une reconnaissance des corps, celle-ci était
fondée sur les seuls besoins de ma mère. J'étais une
chose, un tas de chiffon à langer de temps à autre qui, de
toute évidence, dérangeait. Elle accomplissait sur moi les
actes quotidiens avec la dignité du figurant génial qui
s'est fait ravir de justesse le premier rôle par une vedette
sans envergure. Enfant, je n'ai connu que mes devoirs
d'enfant face au monde des grands. Je n'ai jamais été
qu'une apprentie domestique, pressée d'en poser les gestes dès que j'ai pu me tenir sur mes jambes. Avec moi, ma
mère se payait une doublure à temps plein.

Il n'y avait qu'elle dans cette maison, que cette
odeur de chair rance qui enflait, accroissait son espace,
que cette folie qui gagnait pouce par pouce un territoire
impuissant à défendre ses frontières. Trouver refuge
dans l'étreinte maternelle? Rigoureusement impensable!
L'ouvre-boîte du cauchemar, ma mère, oui! Le passeport
pour l'horrible! La carte assurance-angoisse! La porte de
l'enfer! Fuir le plus loin possible vers nulle part, voilà la
seule chose qui ait jamais existé entre cette femme et moi.
J'avais commis la faute de naître sans son consentement
et j'en paierais le prix jusqu'à mon dernier souffle.

La révolte ne viendrait que plus tard.

Jusque-là, je vivais repliée comme une huître, occupée à me faire toute petite, limitant au strict minimum les interventions qui auraient pu rappeler à ma mère l'existence de cette fille dont elle ne voulait pas.

L'école m'était une évasion. Je dévorais littéralement les matières enseignées, happées au moment même où elles étaient lâchées, car il eût été illusoire de compter sur la paix familiale pour repasser mes leçons; à peine pouvais-je gruger une petite demi-heure au chaos vespéral, consciencieusement employée à bâcler les exercices écrits. La discipline, insupportable à la plupart de mes camarades, m'était un baume et j'y glissais avec souplesse, trop heureuse d'oublier, pendant ces quelques heures, le spectacle affligeant qui m'attendait en rentrant.

Aussi, lorsqu'à la première crise exigeant l'internement de ma mère on me retira de l'école, je sentis le sol bouger sous mes pieds. Le malaise fut vite dissipé: l'absence prolongée de ma mère provoquait une situation qui me consolerait de ma perte. En effet, du jour au lendemain, dans cette maison, je devenais quelqu'un d'important. On comptait sur moi. J'existais enfin. Du haut de mes dix ans, devenir mère par procuration me posait peu de problèmes puisque j'en assumais depuis longtemps le prix sans en toucher les bénéfices. J'apprendrais à aimer ces enfants égarés. En cherchant bien, je trouverais en moi le filet de tendresse où ces petits viendraient puiser, et peut-être qu'en fin de compte... un juste retour des choses... qui sait? Je n'osais imaginer au-delà...

Je savourais cette liberté tombée du ciel: plus d'horaire, ni devoir, ni leçon; plus de compte à rendre à personne; du temps à organiser à ma guise; et surtout, un tout nouveau sentiment de fierté à explorer. Je devenais maîtresse de mes actes. Lorsque ma mère rentra au bercail après six mois, c'est une Josse adulte qu'elle trouva, une personne indépendante et autonome dont elle devrait désormais tenir compte. Les dés étaient jetés; j'allais jouer gagnante.

Je m'attachai, en effet, aux enfants. Par eux, je découvrais l'univers du jeu, ce monde qui accueille l'imaginaire, le pétrit, l'organise et lui confère une réalité troublante. J'inventais, pour voir s'animer leur regard, des histoires maladroites, qu'ils me resservaient en riant, revues et corrigées. Tout objet devenait jeu, espace ouvert, trésor appelé à transformer le quotidien. Le puits d'amour, tari chez ma mère, m'était offert par ces êtres fragiles qui n'attendaient en retour qu'un peu d'espoir.

Ma mère observait nos ébats d'un œil distrait. Quelquefois, elle tentait de reproduire pour son compte les mimiques enfantines, croyant puiser dans cette gestuelle absurde la recette infaillible à l'éclosion de la tendresse. Impossible pour moi de discerner le vrai du faux. Quand maman jouait-elle? Quand m'utilisait-elle? Quand volait-elle ses fils? Dans le doute, abstiens-toi, conseille la maxime; je ne m'abstenais pas. L'énergie qui m'animait répandait ses bienfaits sur tout ce qui vivait, ma mère y compris.

Mais j'étais aux aguets: la cloison est mince entre l'imaginaire et la folie. Je devais ouvrir l'œil, tenir le monstre à distance, défendre un territoire vulnérable, un Viêt-Nam affaibli par des siècles de luttes, une Pologne impossible. Un pays blessé au cœur. Parce que... maman aussi racontait des histoires, des contes fantastiques façonnés avec art comme de purs joyaux reflétant une lumière si parfaite qu'on eût pu la croire réelle. Elle racontait si bien, jouait les scènes avec une telle qualité d'émotion qu'il nous arrivait d'oublier qu'on était au théâtre et de porter pendant des semaines le poids d'un drame qui ne nous concernait pas.

Lorsque maman parlait, il fallait avoir constamment à l'esprit que rien de tout cela n'existait vraiment, que les faits inventés, que les répliques jouées avec force, n'avaient rien à voir ni avec elle ni avec nous. Elle avait une si longue expérience du mensonge, qu'elle attaquait en lionne, assurée de sa proie. Toute sa vie passait à rêver à elle-même. Elle se percevait autre et cette identité

empruntée l'émouvait à tel point qu'à travers ce personnage fictif, elle trouvait à s'aimer. Et cet amour avait une
saveur exotique...

La vie des autres alimentait la sienne. Elle dévorait,
sans goûter, les mets suspects d'une pensée désincarnée,
excentrique, égarée, aussi pauvre en valeur nutritive que
la farine raffinée et les haricots en conserve produits pour
tromper l'appétit insatiable d'une civilisation désaxée.
Les romans-photos, les feuilletons, les collections
romantiques à l'eau de rose, les magazines de mode, les
potins artistiques, tout entretenait sa boulimie. Son cerveau gavé de «junk foods» n'était plus qu'un estomac
géant branché sur un pilote automatique qui assurait une
déglutition sans douleur.

Elle s'inventa une origine royale. Un matin, après de
longues heures passées à méditer en silence devant une
photographie représentant l'hypothétique princesse
russe Anastasia, elle se mit à parler, d'abord à voix basse
pour elle-même, puis d'un ton assuré, consciente de
l'étonnement charmé de son public:

«Je n'en ai jamais parlé avant, vous étiez trop jeunes
et toi, Josse, trop sensible, trop facile à émouvoir. Mais
aujourd'hui, vous pouvez bien l'apprendre, partager
avec moi ce secret qui m'habite depuis tant d'années. Je
suis orpheline. Vos grands-parents m'ont recueillie alors
que j'étais bébé. Nous n'avons jamais discuté de cette
affaire, mes parents et moi, par crainte d'ouvrir un
abîme; certains mystères répugnent à être dévoilés.

«Un jour, en jouant dans le grenier, je trouvai un
objet, en apparence insignifiant, qui me mit sur la piste
de la vérité. Parmi les malles et les armoires en cèdre dans
lesquelles ma mère entreposait depuis des années les vêtements, jouets, meubles anciens ou accessoires désuets, je
découvris un coffre en osier muni d'une serrure délicate
façonnée dans un métal précieux. Je fouillai aussitôt chaque recoin de la pièce: pas de clef. Le coffre conservait
jalousement son mystère. J'hésitai, assurément, avant de
poser ce geste odieux — on ne viole pas impunément un

secret qui veut rester caché — mais, vous me comprenez, il fallait que je sache. Ce coffre contenait des informations à mon sujet, je le sentais profondément. Alors, oui, en retenant mon souffle, je fis sauter la petite serrure. Tout y était, à peu de choses près: les robes, les langes, le châle, les tricots soyeux et surtout — la preuve attendue — une délicate robe de nuit blanche sur laquelle étaient brodées en lettres d'or les initiales de mon véritable nom: Anastasia Romanoff...

— Alors, tu ne t'appelles pas Alice Richer? questionna Louis sans pourtant se faire entendre. La conteuse poursuivait le récit:

— Après l'abdication de mon père, le tzar Nicolas II, ma mère, pressentant sans doute le massacre éventuel de notre famille, confia le nourrisson que j'étais à une personne sûre, chargée de conduire la princesse hors des frontières russes et de la confier à une famille adoptive qui devrait ignorer l'origine de l'enfant jusqu'à sa majorité. Une lettre marquée du sceau royal devait alors parvenir à mes parents adoptifs et me permettre de recouvrer l'immense fortune de ma famille. Le plan fut respecté en partie. C'est ainsi que votre grand-mère découvrit sur le perron de sa demeure l'étrange coffre d'osier dans lequel un bébé pleurait. Ce bébé, c'était moi. Je pleurais de fatigue car le voyage avait été pénible, de Saint-Pétersbourg à Hull, et le pauvre panier d'osier ne présentait pas le confort de ma couche royale.

— Et la fameuse lettre, grand-père l'a reçue? s'inquiéta Jean-Marie.

— Je ne sais pas; quoi qu'il en soit, sous le régime soviétique actuel, une princesse russe n'a pour ainsi dire pas le choix: c'est l'exil ou la mort.

— Oh! s'exclama l'enfant.

Ma mère avait touché juste. Nous étions suspendus à ses lèvres. Je tentai de frapper.

— Donc, tu n'as aucune preuve? Pas de lettre, ni princesse, ni Russie!

— Pauvre petite! Tu n'as donc pas compris? Et la robe brodée à mes initiales? Et le coffre en osier? Et surtout, Josse, mais cela tu le comprendras plus tard, la voix du sang. Regarde bien cette photo: c'est ma mère, quelques mois avant le massacre de la famille. Observe les traits de ce visage, la forme des sourcils, la carrure de la mâchoire, c'est moi tout craché! On reconnaît sa mère, Josse; la voix du sang, ça ne trompe pas.

Je regardais intensément le visage boursouflé de cette femme, dont aucun trait ne s'était reproduit sur le mien. C'était la voix du sang qui se taisait, sans doute.

Au cours des années, les scénarios s'imposaient avec une autorité telle que ni mes frères ni moi ne trouvions plus la force de les repousser dans l'espace spécifique de l'imaginaire qu'ils n'auraient jamais dû quitter. Je combattais sans relâche, j'affirmais la victoire du réel contre l'imaginaire. Mais le monstre était tenace et chaque combat, au lieu d'accroître ma résistance, consolidait les frontières acquises au détriment de notre espace vital. Tout y passa: la folie de ma mère était insatiable. Elle dévora ses fils, son homme, chaque portion de mur du taudis familial, tout. Je dus fuir pour tenter de survivre mais encore aujourd'hui, à deux cents kilomètres de cette enfance cauchemardesque, dans cet abri souterrain qui me sert de refuge, ma mère est le cadenas qui me ferme le monde.

Le livre de Bleue

J'ai bouché mes oreilles pour accueillir un à un les sons qui viendront habiter sous ma peau. Je n'ouvre pas les yeux car la lumière brûle mon regard. Derrière mes paupières closes, je vois les choses quitter leur ombre et venir jusqu'à moi. Nous nous touchons. C'est fragile. C'est bon.

Au sortir du sommeil, je retrouve le sein chaud qui déverse la vie goutte à goutte dans ma bouche largement ouverte. Et je connais le plaisir de prendre, de tirer à moi de toutes mes forces le lait qui joue à se laisser désirer.

Je regarde ma mère par chaque pore de ma peau. Nous sommes entrées dans la maison aux odeurs chaleureuses. Son monde sans paroi est froid mais la passe magique, c'est elle, présente à mon corps dès mon réveil. La clé du nouveau monde est une mère.

Ma mère est liée à un homme par les battements de son cœur. Chaque soir, cet homme entre dans la maison en frappant très fort ses pieds contre le parquet. Il vient vers nous avec assurance et nous serre joyeusement dans ses bras. On peut entendre le cœur de ma mère cogner dans sa poitrine, en écho aux pas de l'homme sur le parquet.

Quand il approche de ma main ses longs doigts de fer, j'en saisis un de toutes mes forces et le garde prisonnier aussi longtemps que possible. Un rire s'échappe alors de lui et court le long des murs de la maison. Des torrents de paroles coulent de ses lèvres et inscrivent dans l'espace une fête dont il ne dévoile pas le secret. De temps à autre, un regard sombre sort de son œil et se pose gravement sur mon front. Je le saisis, mais ne le garde pas prisonnier comme les doigts; je le renvoie à l'instant au visage qui reprend la couleur de sa joie.

Quel est cet être étrange qui s'introduit chez nous le soir venu pour repartir au matin, en sifflant? Il doit contenir un trésor de lumière pour qu'à sa vue le visage de ma mère s'éclaire au point de se confondre avec le carré de ciel qui entre par la fenêtre. Cet homme a un mystère que je ne perce pas encore. Ma mère me dit souvent à son sujet: «Bleue, voici ton père.»

L'heure du bain est un moment délectable. J'aime le contact de ma peau avec l'eau tiède, le jeu qui force l'élément à bouger, à chercher un espace jamais conquis, sans cesse poursuivi:

Lorsque j'entre dans la cuvette, l'eau, sans me chercher querelle, recouvre aussitôt mes jambes et se met en quête d'un nouvel espace à occuper. Elle compose avec moi et réagit à chacun de mes mouvements. Si je caresse doucement son dos, elle se cambre et dessine une myriade de petites rides insolites qui mettent un temps fou à se dissoudre. Si je la frappe, elle se transforme en fines gouttelettes éclaboussant le visage de ma mère. Elle glisse sur ma peau sans la pénétrer et quand je tente de l'attraper et de la garder dans mes mains, elle se sauve en riant.

Autrefois, nous étions confondues, elle et moi. Aujourd'hui, nous nous retrouvons presque à heure fixe pour une courte fête qui prend fin dès que ma peau commence à frissonner. Ma mère, trop grande pour entrer dans la cuvette avec nous, accepte de mouiller ses bras mais pas sa robe. Elle semble prendre beaucoup moins de plaisir que moi au rituel de mon bain. En effet, je la surprends souvent à guetter sur mon bras l'apparition des granules qui annonceront la fin de notre jeu.

Lorsque, confortablement emmaillotée, me prélassant au fond de ma chaise coussinée, j'observe ma mère verser dans l'évier le contenu du bassin, je me demande où va l'eau. À quel destin occulte cette force tranquille est-elle vouée? Et d'où vient l'empressement de ma mère à s'en débarrasser comme d'un objet gênant dont la présence n'est tolérée qu'à certaines heures précises de la journée?

Tous les êtres qui entrent dans la maison sont frappés, comme mon père et ma mère, de gigantisme. Pour me parler ils doivent, ou s'accroupir et voir les choses de la hauteur où je les vois, ou alors me hisser jusqu'à eux et me forcer à adopter leur point de vue. D'une manière comme de l'autre, on met à rude épreuve ma souplesse de caractère car il est rare qu'on me consulte en regard de cette alternative.

Avant même d'avoir pu mesurer ce qui se passe, je suis transformée en cerf-volant, se balançant au bout de deux bras dont on peut douter de la qualité du cerveau qui les actionne, ou alors je dois absolument accepter dans l'espace de mon jeu un sombre intrus qui fait un effort démesuré pour se rendre plus intéressant que mon camion de pompier.

Alors qu'entre eux la conversation se déroule avec aisance, portant sur des sujets de qualité variable mais acceptable à la limite, quand ils s'adressent à moi, ils sont subitement privés du sens le plus élémentaire de l'à-propos. Leur visage se crispe en des grimaces du plus mauvais goût et je défie quiconque de tenter de saisir la moindre pensée cohérente dans le dévergondage de leurs paroles. Certains ont même le culot d'exiger de moi une participation active à l'élaboration de *leur triste scénario. Pour me tirer de ce mauvais pas, je n'ai d'autre choix que de réclamer à grands cris l'étreinte maternelle, où je peux, tout au moins, retrouver la chaleur sereine d'un silence partagé.*

La patte de la table m'intrigue beaucoup car elle semble cacher dans sa chair des bulles de plaisir et des bulles de douleur qui éclatent tour à tour, sans qu'on sache pourquoi. Ainsi, lorsque j'y touche avec la main, il arrive que des bulles de plaisir s'ouvrent, imprimant sur ma peau de fines touches de chaleur. Par contre, si ma caresse est mal reçue, des bulles de douleur mordent aussitôt la paume de ma main à l'endroit exact où le plaisir s'était déjà logé. Si je m'agrippe à son corps pour le considérer de plus près, elle peut, ou bien accepter de jouer et se sentir très droite en souriant, ou alors se fâcher brusquement et me donner un grand coup sur le nez. Je n'arrive pas à comprendre ce qui se passe en elle.

Il en va de même pour d'autres objets avec lesquels j'ai commencé à jouer. Le fil de la lampe court dans le salon le long du mur et cache son nez dans une petite bouche à quelques pouces du sol. Si je tente de retirer son nez de la cavité, il peut arriver qu'il m'envoie par petites saccades un rire froid qui glisse le long de son corps mince. Par contre, le soir surtout, le fil devient maussade; son abord exige un tact particulier. En effet, il peut refuser net qu'on touche à son nez et sa colère pénètre alors violemment dans ma main pour envahir de son cri mon corps tout entier.

Certains objets acceptent, dans un premier temps, de jouer avec moi puis, soudain, s'échappent de mon étreinte et s'enfuient sur le parquet. Il arrive même qu'ils éclatent en morceaux, dans un bruit terrifiant. Alors les bulles de douleur de ces objets se rassemblent aussitôt en rangs serrés et se posent, comme un voile opaque, sur le sourire de ma mère.

Il y a des objets qui se laissent manger; d'autres pas. Lorsqu'un objet se laisse manger, il entre dans ma bouche en pièces détachées, joue un moment sur ma langue et mes gencives, colle à mon palais avant de prendre la route de mon ventre. On pourrait croire qu'il a disparu; mais il est toujours là, d'une autre manière cependant, puisqu'il est devenu moi.

J'aime les choses qui se laissent manger simplement, sans résister. Certains objets refusent obstinément d'entrer dans ma bouche et allument en moi une colère dont nous arrivons mal à éteindre les feux, ma mère et moi.

Ce matin, la pantoufle de mon père reposait dans une flaque de soleil. Doucement, je me suis approchée d'elle, croyant qu'elle accepterait de jouer. Elle semblait d'humeur agréable et il était impossible de déceler chez elle la moindre trace de mauvaise foi. Elle s'est tout d'abord laissé prendre, caresser et même frapper violemment contre la chaise, sans manifester aucun signe de lassitude. Mais quand j'ai voulu la porter à ma bouche pour la manger, ça n'allait plus: elle résista de toutes ses forces et, pire encore, elle dégagea dans ma bouche, en signe de représailles, un goût si âcre qu'il me donna envie de vomir. J'eus beau insister, l'objet ne céda pas et la meurtrissure de mes gencives m'arracha mon premier cri de guerre. Ma mère alertée se précipita sur nous pour rétablir l'ordre et, me prenant dans ses bras, subtilisa la pantoufle pour la soustraire aussitôt de ma vue. J'étais sidérée. Pour calmer ma colère, elle m'offrit un quartier d'orange qui, lui, se laissa engloutir gentiment, sans opposer la moindre résistance.

Quand on a envie d'une pantoufle, pourquoi doit-on se contenter d'une orange? Et d'où vient qu'un accord tacite entre une pantoufle et ma mère ait le pouvoir de contrecarrer mon propre désir?

Lorsque mon corps glisse mollement dans le sommeil, je suis aspirée par une vague gonflée d'images qui m'entraîne à travers une spirale ouverte sur un espace à perte de vue. Là, le temps s'allonge infiniment. Là, je dépose le dessin des choses accumulées dans ma mémoire au cours de la journée et nous jouons ensemble, à l'abri des regards importuns.

Privés de matière, les objets vont et viennent librement dans l'espace, sans réclamer le concours de ma pensée. Et nous jouons, enlacés, à nous trouver puis à nous perdre, puis à nous retrouver.

Mais il arrive que la danse se casse, que les images s'échappent violemment de mon regard et se sauvent dans des couloirs sombres où mon esprit alourdi tente en vain de les rejoindre. Alors, je bascule dans mon corps laissé au repos et, ouvrant mes paupières, j'attends, immobile, que les objets reprennent leur âme, éclairés par les pâles rayons de la lumière de l'aube.

Le téléphone est un objet noir, froid et dur qui ne se laisse pas manger. Toute la journée, il reste assis tranquillement sur sa petite table et semble satisfait de son sort. Il surveille tout ce qui se passe dans la maison et ne fait part à personne de ses réflexions. Lorsque je m'arrête près de lui, il ignore complètement ma présence, comme si je n'étais à son regard d'aucun intérêt. Ses grandes oreilles rondes reposent sur son ventre sans frémir, sans se laisser toucher ni par mes paroles gentilles ni par les injures que je finis toujours par lui cracher à la figure. Souvent, son impassibilité me révolte au point de me forcer à lui infliger les pires traitements. Car lorsque je le projette violemment au sol, j'ai au moins le plaisir de savourer le tintement affolé de ses cloches qui gémissent en frappant le parquet.

Contrairement à ce qu'on pourrait penser, cet être manifestement têtu n'est pas muet. En effet, il choisit invariablement un moment d'intense activité entre ma mère et moi pour se manifester. Son cri strident ne rate jamais son effet: nous sursautons. Comble du désagrément, il répétera sa plainte insistante jusqu'à ce que ma mère me dépose par terre comme un colis gênant et obéisse à son ordre. Dès qu'elle prend dans sa main ses

deux oreilles rondes pour les coller à son cou en lui don-
nant le mot de passe «allô», il cesse aussitôt de pleurer
et se met à lui parler tout bas, si bas qu'il m'est impossible de saisir la moindre parole. Ma mère, par contre,
sans le regarder, lui parle à voix haute comme s'il était
assis à l'autre bout de la pièce et il lui arrive même de
devoir répéter des bribes de phrases qu'il n'a pas com-
prises. C'est un spectacle qui tient du délire.

À certains moments, le jeu est assez tentant pour
que me vienne l'envie d'y participer. Dans ce cas, on est
formel: pas question. Ma mère interrompt alors sa conversation et tente aussitôt de m'intéresser à tout autre
objet choisi au hasard dans la pièce. Je trouve cette
attitude outrancière et ne manque pas de manifester
mon dépit devant ce refus absurde de partager un jeu
qui présente tout de même un certain intérêt.

De mon poste d'observation, ma question risque
de tourner à l'obsession: quelle mystérieuse fascination ce sombre objet exerce-t-il sur ma mère pour lui
faire perdre ainsi, ne serait-ce qu'un quart d'heure, le
goût de moi? Car, lorsqu'il a cessé de s'intéresser à elle,
on voit ma mère replacer délicatement l'appareil dans
sa position initiale et fixer le cadran d'un air rêveur,
enrobée dans un tissu de pensées inextricables dans
lesquelles il n'est absolument pas question de son plaisir de vivre avec Bleue.

Depuis quelque temps, j'ai l'étrange impression
qu'ils régressent. La semaine dernière déjà, j'avais cru
remarquer chez ma mère une attitude curieuse. À
l'heure du bain, nous adorons faire la conversation.
Jusque-là, on ne se chicanait pas sur les mots; chacun
les siens, on se comprend de toute façon. Quand on
converse, moi je m'efforce de former constamment de
nouveaux sons de manière à ne pas ennuyer mon inter-
locuteur. Pour le moment, je m'inquiète moins de l'harmonie que de la variété, question de méthode. Ce qui
compte dans cet exercice, c'est d'éviter à tout prix la
répétition. Il y a une infinité de sons à produire, il suffit

*de s'en donner la peine! PA... LUF... TOU... PEU... VON...
FAM... VA... BOU... DOU... PAN..., etc. Ma mère et mon
père sont moins chatouilleux que moi sur cette question. Normalement, je ne leur en tiens pas rigueur. Ainsi,
il leur arrive de former des ensembles aussi ternes que:
PA... PA... TA... MI... TON... BO... MAN...TO: ou alors:
DONN... UN... BÉ...CO... À... MA...MAN. Pas très fort, on
conviendra, mais je ne vais pas me fâcher pour si peu.*

*Or l'autre jour, brusquement, ma mère interrompt
notre conversation pour me fixer droit dans les yeux et
me faire: MA...MAN. Et alors? Rien. Bon, je reprends le
jeu: POUF... BANG... FOU... QUA... RI... PUT... MOU...
BA. Très sérieusement, elle répond: MA...MAN.*

— QUEF... PAM... WA... OU... GOU... BOUM... MI.

*— MA...MAN. Évidemment, la scène s'est termi-
née en crise de larmes! D'où vient ce brusque blocage
chez cet être qui paraissait jusqu'ici débordant de res-
sources et d'imagination? Je n'ai pas insisté. Elle, oui.*

*Depuis, tous les soirs, à l'heure du bain — qui fut
jadis un moment délectable — elle bloque, répétant
inlassablement: MA...MAN... MA...MAN... MA...MAN.
C'est ennuyeux, vraiment. J'ai tout tenté pour l'en distraire. J'eus beau lui arracher les cheveux, lancer le
savon à travers la pièce, mordre la serviette de mes quatre dents, renverser l'huile de bain, rien à faire. Elle est
têtue. J'ai même imaginé un moment qu'elle essayait
peut-être de me dire quelque chose, mais à la réflexion,
que peut-on vouloir dire avec MA...MAN? Et alors, mon
père s'est mis de la partie. Moins imaginatif que ma
mère, il s'acharne sur une seule syllabe: PA...PA...
PA...PA... PA. Quelque chose ne va pas, c'est certain.
Entre eux, par contre, aucun problème, la conversation
va rondement, entrecoupée çà et là de longs rires pleins
de musique. C'est avec moi qu'ils ne s'amusent plus.
Déjà... Est-ce possible?*

*Ce soir, à tout hasard, j'ai tenté quelque chose. Au
moment où elle allait se fâcher, j'ai fixé ma mère droit
dans les yeux et, tout bas, pour lui faire sentir l'absurdité de son jeu, j'ai répété après elle les syllabes quasi
jumelles qui la tracassent tant depuis huit jours:
MA...MAN. Je suis confuse à l'idée de décrire l'explo-*

*sion affective qui s'ensuivit. La fête se prolongea pen-
dant de longues minutes au cours desquelles on exigea
de moi, sans honte, que je reprenne la scène pour mon
père qui l'avait manquée.*

*Ils roucoulent encore tous les deux. Moi, dans mon
lit, je n'arrive pas à dormir. Qu'allons-nous devenir?
Pourquoi ne pouvons-nous plus causer ensemble, simplement, sans histoire?*

*Les gens peuvent entrer dans la maison de deux
façons. Il y a la manière normale qui consiste à sonner à
la porte. Alors, ma mère se précipite vers les visiteurs et
les invite à se joindre à nous autour de la table pour
échanger des nouvelles. Là, on sait à qui on a affaire,
car les yeux se cherchent, se croisent, se fondent ou se
foudroient. Et quand j'interviens, il est manifeste qu'on
s'en rend compte car les visages se tournent vers moi et
expriment le plaisir ou l'embarras suscité par le ton de
ma voix.*

*L'autre façon qu'ont les gens d'entrer chez nous a
quelque chose d'insolite et, à la limite, de carrément
menaçant. Sur le comptoir de la cuisine, il y a une petite
boîte qui ne s'ouvre pas et qui porte, sur le devant, deux
boutons qui n'attachent rien du tout. Si on ne s'en
occupe pas, elle repose tranquillement dans son coin,
comme le grille-pain ou la bouilloire. Tous les matins,
ma mère s'approche de la boîte et tourne le bouton de
droite. Tout d'abord, il ne se passe rien. Puis, une petite
lumière apparaît et chaque fois le miracle se produit:
une musique sort de son ventre et se mêle aux carrés de
soleil qui dansent sur les murs et le plancher. Doucement. Comme une surprise qui ne voudrait pas être
dévoilée. Quand elle est bien certaine qu'on accepte de
jouer avec elle, elle laisse son chant se poser sur chaque objet de la maison.*

*Or, au moment le plus inattendu, il se produit un
phénomène étrange. La boîte ne grandit pas — cela se
verrait — et pourtant, des gens entrent brusquement*

dans son ventre, avalent d'un coup notre musique et se mettent à parler entre eux très fort, allant même parfois jusqu'à se fâcher. Si j'interviens dans leur conversation, ils n'en tiennent nullement compte. Je suis pourtant persuadée qu'on me surveille et je me hâte d'avaler mes céréales avant que leur colère n'éclate; lorsqu'ils se fâchent, on ne sait pas ce qui peut arriver. Un jour, dans un grand cri, ils ont chassé le soleil de la cuisine. Il ne leur avait rien fait; il occupait un tout petit espace sur la nappe entre la tasse et le sucrier. Rien n'échappe à leur regard, pas le moindre sourire. Qui sont ces gens? Que viennent-ils faire dans la boîte? Pourquoi nous ravissent-ils notre musique? Ma mère semble moins préoccupée que moi par cette menace qui pèse sur nous. Je la surprends même quelquefois à détourner son attention de notre déjeuner et à prendre plaisir à écouter ce que ces gens-là se racontent. Pour l'aider à revenir à la réalité, je suis forcée de renverser sur la jolie nappe à fleurs tout le contenu de mon verre de lait.

Aujourd'hui, il faut que je marche. Cela dure depuis des semaines déjà et cette fois, je sens bien que je ne pourrai pas y échapper. C'est devenu un rite. Accroupis tous les deux à quelques pas de moi, ils me tendent pathétiquement les bras: «Viens, Bleue, viens voir papa! Viens voir maman!»

Avant tout, j'aime qu'on soit clair. Qui dois-je aller voir, papa ou maman? C'est une question extrêmement sérieuse qui demande qu'on y réfléchisse. Je les connais bien tous les deux et je sais que si je me précipite sur mon père, ma mère sera contrariée par mon ingratitude. Elle ne prendra pas à la légère mon choix provisoire, sachant le parti que pourra en tirer son partenaire au moment du prochain tête-à-tête. Par contre, opter pour l'étreinte maternelle risquerait de renforcer dans le crâne de mon père — suffisamment encombré d'un nombre incalculable de sottises — le préjugé tenace qui veut que la popote et l'éducation des enfants restent à jamais l'affaire des femmes. C'est embêtant! Surtout que, tout bien considéré, je resterais ainsi, moi, à quatre pattes, jusqu'à la fin du monde.

Oh! maman a une idée. Voyons, que cache-t-elle dans sa main? Un bonbon rouge. Cela complique les choses. Si je bouge, elle va imaginer que j'aime le rouge et alors, je vois d'ici l'accumulation: robes rouges, souliers rouges, bonnets rouges, jouets rouges. J'aime le rouge, mais pas à ce point. Je sais de quoi je parle, je sors à peine de sa période rose!

Allons bon! elle est sur le point de s'impatienter. Rien de plus désagréable que le spectacle d'un adulte, au bord de la crise de nerfs, qui fait un effort désespéré pour sourire. C'est très gênant. Si vous répondez au sourire, il croit que vous vous moquez; si vous pleurez, il se voit démasqué et est inconsolable.

— Viens, Bleue, viens chercher le beau bonbon. Non, ne t'assois pas. Vas-y, Marcel, montre-lui, elle ne comprend pas ce qu'on veut d'elle.

Ah bon! vous avez le monopole de l'intelligence? Intéressant! Doucement! Non, je n'ai pas envie de me lever, je suis très bien ainsi. Tu peux t'asseoir aussi, regarde, c'est très confortable. Non? À ta guise, je n'insiste pas.

Soyez gentils, pourquoi faut-il que je marche maintenant? Un autre jour, peut-être, je ne dis pas, c'est une idée, un jeu comme un autre. Pas très utile si on en juge à la longueur de mes jambes mais peut-être amusant. On verra.

Pour le moment, j'ai tant à faire, et ils ne cessent de me distraire. C'est étonnant l'ardeur qu'ils mettent à m'enseigner leurs jeux. Des choses compliquées la plupart du temps et complètement dépourvues d'imagination: tenir la cuillère par le manche et de la main droite, déféquer dans un pot de plastique qui blesse la peau des fesses, boire mon lait dans un verre... J'aimerais bien ne pas toujours les décevoir, mais ce n'est pas facile. S'ils pouvaient donc s'amuser un peu seuls de temps en temps. Ils sollicitent constamment mon attention et je n'ai plus de temps pour moi. J'aime regarder les gens et les choses derrière mes yeux, tranquille-

ment, sans rien qui passe entre nous. Que le silence. La paix. Ils ont oublié la paix. Quand on grandit, on dirait que...

— Louise, ça y est! Je ne la tiens pas et elle marche. Elle a marché toute seule. Oh! Bleue, tu es magnifique!»

Où en étais-je? Quand on grandit, on dirait qu'on perd le fil, que les images s'échappent. Il faudra que j'apprenne à conserver dans ma tête ce que je vois. Malgré leur babillage. Malgré aussi, bien sûr, la fascination que j'éprouve à écouter leurs mots.

L'univers de la démence exerçait sur moi une fascination qui déjouait parfois ma surveillance. Comme l'oiseau subjugué par le pouvoir hypnotique du reptile, j'étais à demi engagée dans la gueule du monstre avant d'avoir pu mesurer ce qui s'était passé. La tentation fut grande d'accorder un certain crédit, par exemple, à la fable concernant la naissance de mes frères cadets, car les événements relatés formaient un tissu de coïncidences qui leur donnaient l'allure de faits réels. Le fameux vicaire de la paroisse brusquement affecté à un coin reculé de l'Abitibi après la naissance de Jean-Marie était-il, conformément au dire de ma mère, le père des deux enfants nés à dix mois d'intervalle, sept ans après ma naissance?

Des bribes de phrases éparpillées au cours des mois, une allusion, un sourire entendu: je refusais d'entendre. Et pourtant... la venue des garçons, accueillie froidement par l'époux, avait allumé au regard de la mère un sourire de victoire qui ne s'éteindrait plus. C'est à partir de cette époque également qu'on ne vit plus cet homme sans son flacon d'alcool et qu'on eut à subir une nature irritable, égocentrique, rigide, peu douée pour la vie en commun, précipitant l'image d'homme idéal dans un plongeon vertigineux dont elle ne se relèverait jamais.

Maman n'allait pas à la messe; chaque dimanche, elle mettait un temps fou à se préparer, s'habiller, se maquiller puis, invariablement, elle se découvrait à la dernière minute un malaise qui l'exemptait de l'office. C'était la rigolade! Nous prenions un malin plaisir à deviner le prétexte qui serait invoqué et nous perdions toujours, faute d'imagination. Mais elle allait à confesse tous les samedis et, jusqu'au départ de ce vicaire, cette pratique fut strictement observée, procurant à l'âme maternelle une relative détente dont nous n'étions pas sans apprécier les effets. Qu'elle profite de cette course pour s'attarder aux vitrines, converser avec une voisine ou prendre un café quelque part sur la rue Principale, était un comportement considéré comme normal qui ne pouvait en rien susciter la méfiance d'un époux.

Mon père n'était pas homme à dédaigner les joies de la paternité, et l'arrivée de deux fils, coup sur coup, à dix mois d'intervalle, aurait dû normalement combler ses attentes, compte tenu de l'attitude soudaine de la mère qui exprimait enfin l'instinct maternel tant souhaité. Que se passait-il donc? Pourquoi mon père boudait-il? Du fond de sa démence, maman répétait inlassablement: «La voix du sang, Josse, la voix du sang.» Voulait-elle parler ici du peu de talent qu'ont les hommes à jouer les saint Joseph? Quoi qu'il en soit, je me souviens encore qu'en dehors de cette évasion hebdomadaire, maman ne quittait jamais la maison.

La vie de mon père se passait dehors: l'usine, la taverne, les conquêtes féminines... Que vivait-il au juste? On ne le sut jamais vraiment. Il devint à la longue un étranger toléré, un pensionnaire dont la présence assurait à peu près le revenu minimum garanti... Il se taisait de plus en plus; respectant ce silence, nous finissions par perdre tout contact avec lui. Parfois, sa colère éclatait et le départ matinal tenait du délire. Qui avait égaré sa chaussette? Il n'avait toujours pas de chemise propre! L'un de nous allait-il enfin quitter la salle de bains pour lui permettre de se raser? Son café était imbuvable! Quelqu'un irait-il récupérer son pantalon brun, qui traînait chez le nettoyeur depuis trois semaines? Lui qui se crevait à l'ouvrage, aurait-il droit un jour à une maison un peu ordonnée? Il en avait plus qu'assez de trouver des vêtements à tremper dans la baignoire, des piles de linge sur les chaises de la cuisine, des sous-vêtements sur les canapés, de la vaisselle sale sur les buffets et sous les lits... Puis, brusquement, le silence... ce silence chargé de dépit qui traversait la porte close pour s'abattre sur l'amoncellement de chair flasque qui ronflait dans la chambre conjugale.

J'avais compté, toute petite, sur une certaine complicité avec mon père. Avant la venue des cadets, ça n'était pas rêver. Roger était encore avec nous et je me souviens de certaines soirées passées à chanter et à jouer avec cet homme qui savait encore rire. Comme je l'aimais d'être là! Comme il me reposait du silence angoissé de ma mère! Je rêvais de l'accompagner à l'usine et de fabriquer à ses côtés toutes les allumettes du monde! La trahison de ma mère mit fin à cette complicité. Du jour au lendemain, mon père n'eut plus à mon égard que de vagues regards perplexes chargés d'une tristesse indicible. Avais-je jamais été sa petite Josse, son trésor, sa joie? Je n'étais plus que la fille d'un monstre dont il fallait à présent se méfier. J'étais plaquée comme une maîtresse gênante. J'avais sept ans. Je deviendrais peut-être, en effet, le monstre qui l'avait fait fuir; le cas échéant, il faudrait noter qu'il entre dans la fabrication de ce type de monstres une assez forte dose de lâcheté paternelle.

Notre mère s'offrait régulièrement un séjour à l'institut psychiatrique; c'était, pour elle comme pour nous, des vacances annuelles dont chacun tirait profit. Elle retrouvait là un milieu accueillant, l'attention d'un personnel dévoué, la curiosité intéressée des spécialistes penchés sur son cas, stylo en main, des repas à heures fixes avec planification alimentaire, des loisirs organisés, bref, un Holiday Inn à vocation humanitaire. Après quelques semaines, la routine assombrissait le paysage et la malade, avant de s'y ennuyer tout à fait, recouvrait ses facultés et rentrait au bercail.

Nous profitions de ces absences pour nettoyer la maison, ouvrant portes et fenêtres, et tenter de nous approprier le territoire déserté. Une paix fragile se posait alors sur nos journées, jamais acquise, mais pour nous délectable comme un mets exotique. Lorsque la dame reprenait possession de ses biens, nous étions aussitôt refoulés dans nos caches et le désordre s'installait de plus belle.

À deux ou trois reprises, investie d'une énergie soudaine, elle voulut repeindre les murs du taudis. Considérant ce travail comme sa responsabilité exclusive, elle
refusait toute aide. Elle commandait plusieurs litres de
peinture par téléphone. De nuit, chaque fois, elle amor-
çait le travail, puis se lassait et allait dormir. Au matin,
fraîche levée, elle contemplait son œuvre d'un œil criti-
que et décidait que la couleur étalée manquait d'éclat.
Une longue réflexion suivait et le cirque commençait. Je
me souviens en particulier d'un rose bonbon qui devait
tant rehausser l'atmosphère de ma chambre. Un pot de
confiture aux fraises fut mélangé vigoureusement à la
peinture, puis posé sur les mur. Le second mur fut enrichi
de jus de betteraves, le troisième se trouva adouci par une
pinte de lait et le quatrième, enfin, obtenait un léger
cachet vieillot par l'ajout à la gibelotte déjà riche en calo-
ries de trois ou quatre cuillerées à soupe de cacao. Un pur
chef-d'œuvre! Les murs avaient avalé en une journée
sous nos yeux horrifiés une quantité d'aliments équiva-
lant à ce qu'une famille pouvait ingérer en une semaine.
La permanence de cet étalage alimentaire avait quelque
chose d'apaisant, sinon de carrément réjouissant. Les
garçons rigolaient: «Tu sais, Josse, faut pas s'en faire.
Quand on aura trop faim, on pourra toujours manger les
murs!» Nous avions, comme Hansel et Gretel, notre maison en sucre habitée par l'ogresse et vraiment, question
accueil, on ne faisait pas d'histoire: toutes les catégories
de rongeurs se disputaient la place sans paraître noter que
celle-ci était déjà fort occupée par des races de fourmis
multiples et pacifiques qui satisfaisaient avec bonheur
mes jeunes curiosités entomologiques. Nous nagions
dans l'horrible et je buvais à m'en soûler le liquide délétère pour le plaisir de sentir le poison occuper dans mes
veines, l'espace de mon sang.

Les objets s'animaient, témoignant du délire maternel. Pas un coin de la maison n'était épargné. Ma mère
vénérait l'eau. Elle passait des heures dans sa baignoire,
se prenant pour Cléopâtre et exigeait de nous que nous
nous comportions comme des suivantes, lui savonnant le

dos, l'essuyant avec des bouts de serviettes usées, lui passant un à un ses vêtements qu'elle disait être jupons de
dentelles et robes de soie... Mes frères riaient. Je pleurais.

Il y avait en permanence sur le bord de la baignoire
une bouteille de vodka Smirnoff remplie de thé vert.
Lors d'une visite chez des cousines riches, la folle avait
été éblouie par le luxe de la salle de bains qui exposait
dans des vases en verre taillé des sels colorés, des huiles et
des poudres parfumées et elle avait voulu reproduire à sa
manière la magnificence aperçue chez les autres. La bouteille de vodka remplie de ce liquide douteux était sa touche personnelle à la symphonie de l'opulence exécutée
dans son propre décor.

Mais pendant qu'elle rêvait à ses châteaux parfu-
més, je ne pouvais oublier que prendre un bain dans ce
taudis représentait chaque fois pour nous une menace de
mort. Il nous fallait, en effet, dès avant l'entrée de la
dame dans la salle de son plaisir, chauffer l'eau au moyen
d'un instrument branché sur le courant électrique et, jusqu'à ce que le liquide ait atteint la température désirée, la
moindre maladresse pouvait nous être fatale. Tout au
long de l'interminable opération, la bouteille de vodka
nous observait d'un œil railleur et, plus mes frères
riaient, plus les larmes coulaient sur mon visage. Quand
ma mère quittait avec majesté sa chemise de nuit en fla-
nelle trouée et trempait le pied dans l'eau pour en évaluer
la température, combien de fois ai-je imaginé le spectacle
d'horreur qui nous aurait délivrés en toute beauté du
chant de la folle?

Lorsque mes frères eurent atteint l'âge scolaire, je pus consacrer tout mon temps à l'étude. Je m'enfermais dans ma chambre dès leur départ avec des piles de livres empruntés à la bibliothèque et je laissais le monde se reconstituer dans ma tête. Je lisais les journaux de la première à la dernière ligne, sans m'inquiéter d'avoir compris ou pas les faits relatés. À la suite d'une violente discussion avec mon frère Roger — au cours de laquelle je tenais à situer Cuba en Amérique du Sud — celui-ci m'offrit une mappemonde que je collai au mur de ma chambre. Munie de ce nouvel outil, je pus localiser les événements mondiaux traités par l'actualité, de même que les informations historiques acquises au cours de mes lectures.

Je compilais, notais, questionnais. Je ne rêvais pas. Derrière la maison ensorcelée, une rivière s'entêtait à chanter sa mouvance et cette rivière existait — elle était dessinée sur la carte — et cette rivière avait une histoire, celle d'un peuple maudit, décimé, oublié — les Outaouais — et cette rivière allait à la rencontre d'un fleuve immense, viril, majestueux — le Saint-Laurent — et ce fleuve se jetait à la mer, entourait des continents chargés d'hommes et de femmes qui devaient bien avoir une raison d'exister. Il y avait les premiers rôles: les rois, les papes, les généraux, les pionniers, les héros, les stratèges, les aventuriers, les assassins, les fous... Il y avait les seconds rôles: les mères, les épouses, les sœurs, les filles, les cousines... Il y avait la foule, comme au théâtre. Beaucoup de mots, de chants, de cris. Beaucoup de fêtes, de larmes, qui trouvaient leur chemin vers la mer.

Dans mon taudis en contre-plaqué, le dos tourné à la rivière, le cri prend forme en moi. Mais de loin, de si loin derrière moi, on m'a trahie, volée, niée. On a mangé l'espace de mon cri.

Les cent kilos de graisse endormis sur la chaise berçante parlent plus fort que les livres. Maman voulait un premier rôle. L'idée de figuration avait été rageusement écartée et la race humaine devrait se contenter d'une folie tenace soigneusement entretenue sans le moindre sentiment de culpabilité. Et cette folie allait tuer.Elle tuerait mon père, comme on tue à la guerre: par nécessité. Elle tuerait mes frères un à un leur ravissant l'espoir d'une douce agonie. Cette folie tue les hommes. Systématiquement. Mais elle ne m'aura pas. Je sais qu'elle me laissera intacte.

Un matin, on ramena le corps de mon père noyé dans la rivière. Il venait de perdre son emploi. Nous l'avions surpris à pleurer, écroulé sur la table de la salle à manger. Maman n'avait rien dit. Elle chantait plus fort qu'avant. Moi, j'avais dit: «Écoute, faut pas s'en faire, j'irai faire des ménages, on s'en sortira!»

Mon père n'a pas trouvé d'autre sens à sa vie que le geste de l'argent posé sur la table chaque jeudi. Il était trop fragile, la rivière l'a avalé.

J'avais quinze ans. La révolte montait en moi comme une crue de printemps. Sans joie. Sans but. Par nécessité. Et je laisserais le chant apparaître car celui de la folle réclamait un écho. Après cinq ans passés dans la maison, j'irais dehors. Je gagnerais l'argent à poser sur la table chaque jeudi. Mes frères iraient aux études. Ils trouveraient en eux la force de lutter, d'échapper à ce destin de misère. Tout s'arrangerait. J'étais là, je guettais; rien ne pourrait plus arriver. Pour sauver le taudis, je sortirais dehors.

Chapitre 3

DEHORS

Le livre de Bleue

Je sors sur le balcon avec ma pomme et ma poupée Lucie et nous conversons tranquillement en nous prélassant au soleil. La lumière danse sur nos robes et pénètre notre peau pour y injecter sa chaleur. Lucie est d'excellente humeur aujourd'hui; aussi, j'accepte de lui chanter ma chanson préférée.

Soudain, elle aperçoit sur un balcon voisin un petit garçon qui colle son visage aux barreaux de fer pour mieux nous regarder. Il est beau, mais il n'a pas envie de chanter comme nous. Lucie me dit: «C'est parce qu'il est tout seul et qu'il s'ennuie.» Il nous regarde avec insistance et sa tristesse vient se fondre, sur notre peau, à la chaleur insolente du soleil. Je lui lance: «Veux-tu jouer avec nous?» Il baisse les yeux sans répondre; pourtant, je sais qu'il m'a entendue. J'insiste donc: «Nous allons te chanter une chanson.» Il nous considère longuement, puis il détourne la tête avec ostentation. Je suis vexée et je jette un regard furtif autour pour dénicher un projectile quelconque à lui lancer; ne trouvant rien, je lui destine mon regard le plus mauvais, mais le petit garçon l'intercepte avec un large sourire. Je suis conquise. «Écoute, Lucie et moi, nous voulons te regarder de plus près. Nous descendons notre escalier et toi le tien et nous nous rejoignons sur le trottoir. Compris?»

Ce n'est pas une mince affaire que de venir à bout de ces marches, une à une, à reculons, mais rien ne peut résister à ma joie. À la quatrième marche, j'échappe ma

*pomme qui s'en va rouler sur le trottoir arrêtant sa
course aux abords de l'égout. Cet incident décuple mon
énergie et je suis surprise d'atteindre si vite la grosse
marche de ciment. Pour la première fois, nous nous pro-
mènerons seules, Lucie et moi, sur le trottoir. Quelle
fête!*

*Avant tout, il me faut récupérer la pomme; si je me
fie à l'ecchymose sur son visage, elle doit déjà regretter
son escapade. Une petite caresse et rien n'y paraîtra
plus. En levant la tête, j'aperçois devant nous le petit
garçon qui, avec ses mains, protège ses yeux de la violence du soleil. On dirait qu'il a peur. Nous restons là,
immobiles, tous les trois, pendant de longues minutes.
Il regarde fixement ma pomme. Je la regarde aussi. Je
la lui offre. Il est content et commence tout de suite à la
manger. Puis, il s'intéresse à ma poupée. «C'est Lucie,
lui dis-je, elle est gentille; tu n'as pas de poupée, toi?» Il
fait non de la tête et je vois une telle tristesse dans son
regard que je lui donne Lucie: «Tiens, prends-là; elle
aime qu'on lui chante des chansons.» Le petit garçon
saisit Lucie et la retourne dans tous les sens. Puis, il la
serre très fort dans ses bras, comme je le fais souvent
dans mes moments de joie.*

*Soudain, le petit garçon s'assoit par terre et
dénoue les lacets de sa bottine qu'il retire ensuite de
son pied, sous le regard stupéfait de Lucie. Puis il vient
vers moi, me donne la chaussure et reprend, en boitant,
le chemin de sa maison, après avoir repris la pomme à
demi mangée et la poupée. L'escalier est plus long à
monter qu'à descendre, mais je presse sur moi le
cadeau du petit garçon que j'ai hâte de montrer à ma
mère.*

*Curieusement, le lendemain, Lucie est revenue
auprès de moi, sur l'oreiller et la bottine, selon l'avis de
ma mère, est retournée au pied du petit garçon. Il faut
que les alliances entre les êtres soient bien fragiles
pour que les objets leur refusent ainsi toute complicité.*

Devant la maison, il y a un parc qui me regarde et me sourit quand je sors sur le balcon. Toute la journée, il promène des gens sur ses multiples allées. Des gens pressés qui se croisent sans se parler. Des gens qui se parlent à eux-mêmes, dans leur tête. Des gens qui se taisent, s'assoient quelque temps sur un banc et regardent les autres passer.

Ce parc semble très propre car le dimanche, pour le rencontrer avec papa et maman, je dois porter ma robe neuve et mes bottines blanches. Nous trottinons délicatement sur l'épaisse toison qui me chatouille les cuisses quand je trébuche. Il n'aime pas la pluie; chaque fois qu'un nuage crève et nous jette à la figure son eau pour nous amuser, le parc devient maussade et sa colère se répand en taches sur ma robe et mes bottines. Nous rentrons alors, guettant par la fenêtre le moment de sa réconciliation avec le ciel.

Ce parc est très grand; il va jusqu'au bout de mon regard. J'imagine quelquefois qu'en marchant très longtemps sur son dos, je toucherai la fin du monde.

Ils sont nombreux dehors. Je ne sais pas pourquoi, mais ils viennent et puis s'en vont. Leur ventre est rond et tout petit; leurs jambes, menues comme des cordelettes, ne sont pas très utiles pour la locomotion. Ça leur est égal car ils ont quelque chose que je n'ai pas: ils ont des ailes qui les portent au-dessus de moi, au-dessus des maisons, au-dessus même des arbres.

Ils parlent constamment entre eux dans un langage codé; ils jouent, comme je le fais souvent avec Lucie, à s'envoyer des notes. Ils ne chantent pas tous la même chanson et, curieusement, ils refusent obstinément d'apprendre un nouvel air. Ils sont têtus; ainsi, ils refusent de jouer avec moi. Quand je m'approche, ils s'enfuient en battant des ailes; ils savent que je ne pourrai pas les rattraper. Quand ils se trouvent à l'abri sur le bras d'un arbre, ils me lancent aussitôt un refrain pour me narguer.

J'aimerais en attraper un pour le regarder de plus près, pour jouer avec lui, mais ils sont tous pressés comme les gens qui vont au travail le matin. J'aime écouter leur chant; pourquoi se moquent-ils du mien? Souvent, j'étends les bras lentement, je ferme les yeux et j'attends qu'il me pousse des ailes. Quand je saurai voler comme eux, les petits êtres ne se sauveront plus devant moi et nous pourrons jouer ensemble plus haut que les maisons, plus haut que les arbres, plus haut que les nuages. Jusqu'au silence.

Le ventre de ma mère s'est mis à grandir. Il est rond et dur; ma mère soutient qu'il y a quelqu'un dedans. Quelle idée de venir s'installer dans le ventre de ma mère! Elle sourit quand elle parle de lui.

— Tu comprends, Bleue, il est encore tout petit.
— Petit, comment?
— Pas plus grand que ça, avec des petits bras, des petites jambes; il va venir habiter avec nous.

Le ventre de mon père est plat et poilu. Personne n'habite en lui et c'est bien fait, il bouge trop, il est toujours dehors; ça ne serait pas commode d'habiter un ventre qui bouge tellement. Mon père parle trop fort aussi et n'écoute pas quand on lui parle. Il dit toujours: «Bleue, ne touche pas à cette pomme! Non, Bleue, ne grimpe pas sur le comptoir, tu vas te casser la figure! Reste tranquille! Reste tranquille!»

Est-ce qu'il reste tranquille lui qui, dès qu'il entre dans la maison, envahit tout l'espace? On ne doit pas jouer sur la table car il y mange, ni dans le salon, car il y lit son journal, ni dans la salle de bains, car il s'y lave. Les fauteuils sont à lui, les chaises, les meubles, la vaisselle, les vêtements, toutes les choses de la maison sont sa propriété. Pire encore, il me vole l'attention de ma mère, lui racontant des histoires sans intérêt, qui disent à quel point il est fatigué, occupé, pressé, stressé, embêté, oppressé, débordé, manipulé, évalué, mésestimé, entreposé, entraîné, disloqué, disgracié, ficelé, renvoyé, comptabilisé, compliqué, classé. Et ma mère écoute sans broncher, attendant son tour pour lui raconter la nôtre, la plus belle, toujours la même: celle de la chose couchée dans son ventre.

Alors mon père baisse les yeux, se lève et va occuper le salon pour lire son journal. Je crois qu'au fond il est fâché de n'avoir pas comme ma mère quelqu'un dans son ventre. Est-ce que je me fâche, moi? Non, j'attends mon tour. Je bouge le moins possible et je guette autour de moi les êtres assez petits pour s'introduire dans mon ventre. Un oiseau ou un chat, mais alors un tout petit chat sans griffes, car je n'aime pas les griffes.

Le soir, quand je m'endors, je n'en parle à personne, mais je sais qu'en restant étendue sur le dos, le ventre ouvert au monde, quelqu'un viendra s'y installer, comme celui qui dort dans le ventre de ma mère.

La petite fille avait dit: «Si tu joues avec moi, tu seras mon amie.» Et nous avons joué. Aux billes, à la marelle, au chat perché et à l'oiseau. Nous avons bâti des mondes qui abritaient nos rires. Je lui ai offert le peigne rose de ma mère. Elle m'a donné une bille qui cache une étoile jaune. Et nous avons chanté l'histoire d'une fontaine qui pleure un bouquet de roses parce qu'il n'existe pas.

Après le jeu, la petite fille a dit: «À présent, tu es mon amie. Tous les jours, tu pourras jouer avec moi.» Et les jours ont passé. Et les jours ont veillé sur la paix de nos jeux.

Soudain, au milieu d'un matin sombre, la petite fille me dit: «Connais-tu Diane? Elle habite de l'autre côté de la ruelle.

— Non, je ne la connais pas.
— Si tu veux rester mon amie, tu ne dois pas jouer avec elle. Jamais.
— Pourquoi?
— Je ne l'aime pas.

En rentrant, ce jour-là, je pleure des larmes neuves que maman ne peut sécher: j'ai perdu une amie.

Le petit frère est arrivé. C'est un objet bizarre, plus grand qu'un chat, avec une tête toute ronde et pas de cheveux. Il se comporte de curieuse façon. Il dort presque tout le temps, le jour comme la nuit, à sa guise, et dès qu'il s'éveille, il réclame aussitôt l'attention de ma mère comme si c'était la sienne. C'est qu'il n'est pas patient! Il faut constamment lui offrir à boire, le laver, le poudrer, le caresser. Il veut toujours quelque chose.

Maman prétend que j'ai été, moi aussi, une petite chose misérable qui attendait tout d'elle. Que j'avais des petites jambes et des petits bras qui ne servaient à rien. Elle dit qu'elle-même a déjà été une petite chose inutile comme mon frère; que tous les gens que je rencontre ont déjà été des petites choses qui crient et veulent toujours du lait et des caresses. C'est bouleversant!

Mais alors... quand maman n'était qu'une petite chose comme mon frère, comment faisait-elle pour nourrir, bercer, caresser, laver toutes les personnes que je rencontre et qui étaient petites et lui demandaient à boire?

Au bout du parc, il y a un autobus. Je suis montée dans l'autobus avec maman. C'est une grosse bête qui ronfle et qui marche sur des roues; elle a une bouche par où les gens peuvent entrer pour s'asseoir dans son ventre. Quand tout le monde est installé, le monstre lâche un grand pet et on part avec lui. Il nous promène dans des rues qui ressemblent à la mienne, sauf qu'elles n'ont pas de parc.

Sur tous les trottoirs, il y a des gens pressés qui vont quelque part. Plusieurs vont travailler, comme papa; d'autres se promènent simplement, comme nous. Moi, j'irais bien travailler tous les matins comme papa. Maman viendrait avec moi, on prendrait l'autobus et on irait quelque part comme tous les gens pressés. Et le soir, quand on rentrerait à la maison, on raconterait à mon père des histoires qu'il serait bien forcé d'écouter parce qu'elles parleraient de la vie dehors et des choses qui se passent au bout du parc.

En descendant de l'autobus, au retour, j'aperçois notre maison, toute petite, beaucoup trop petite pour qu'on puisse y entrer. Maman me rassure: «Sois tranquille, Bleue, à mesure que nous approcherons, la maison grandira et reprendra sa taille normale. Alors, nous pourrons y entrer.»

Pourquoi les choses rapetissent-elles quand on les quitte?

Tourne, tourne la corde. Chacune passe, à son tour, en évitant l'obstacle. Comme c'est joli! Aujourd'hui, on m'invite à jouer. Esther tient son bout, moi le mien, et nous tournons, tournons... «Un, deux, trois, quatre, ma p'tite vache a mal aux pattes...»

Et tourne, tourne la corde. Pour Huguette, pour Francine, pour Jacinthe et pour Diane. Quelle fête! Et vole la chanson, plus haut que les nuages! «Tirons-la par la queue, elle deviendra mieux...»

— Tu es morte!
— Non. C'est Esther qui a tiré la corde.
— Je n'ai pas tiré.
— Je t'ai vue.

Et la chanson reprend. Plus lente. Un peu plus lourde. Et vole un peu plus bas.

— Bon, ça va. C'est notre tour de sauter.
— Mais non, Bleue. Esther et toi êtes trop petites; vous ne savez pas sauter.
— Mais nous savons tourner.
— Oui, vous tournez très bien. Vite, reprenons le jeu.

Et tourne, tourne la corde. Et sautent, sautent Diane, et Jacinthe, et Francine, et...

— Bleue! Qu'est-ce que tu fais encore?
— Je m'assois ici et j'attends.

— *Qu'est-ce que tu attends?*
— *J'attends que nous soyons toutes assez gran-
des pour pouvoir sauter.*
— *Tu es folle! Ça prendra des années.*
— *Oh, moi je ne suis pas pressée. J'ai tout mon
temps.*

*Depuis qu'ils vont à l'école, ils ne sont plus les
mêmes. Ils ne jouent plus avec moi. Ils se groupent
entre eux et jouent à des jeux compliqués d'où les filles
sont exclues. Même mon ami Pierre évite mon regard. Il
passe devant moi avec son habit neuf, son sac sur le
dos et va la tête haute, comme une grande personne.*
— *Je ne peux plus jouer avec toi, Bleue: tu es une
fille.*
— *L'été dernier, je n'étais pas une fille?*
— *Oui, mais je n'en savais rien.*
— *Tu ne savais pas que j'étais une fille?*
— *Bien sûr. Mais j'ignorais que les filles sont pla-
tes et pas drôles et qu'elles pleurent tout le temps et
que si tu joues avec elles, personne ne voudra plus jouer
avec toi.*
— *Moi, je pleure tout le temps? Moi, je suis plate?
Moi, je ne suis pas drôle?*
— *Non, Bleue, pas toi; les filles! Mais tu es une
fille, tu comprends?*
*Puis il passe son chemin et alors, oui, j'ai envie de
pleurer, mais je ne pleure pas même si je suis une fille.*

*Ils sont tous rassemblés au bas de l'escalier:
Pierre, Denis, André, Jacques, Michel et Louis. Esther
et moi les écoutons bavarder.*
— *Qu'est-ce que tu feras, toi, Denis, dans la vie?*
— *Moi, je serai musicien.*
— *Ah! Moi, je serai médecin.*
— *Moi, dentiste.*
— *Moi, champion de ski.*
— *Moi, prêtre.*

— *Moi, journaliste.*
— *Et moi, dit Esther, je serai infirmière.*
— *Moi, je serai pompier.*

Le rire s'abat sur moi et me saute à la gorge. Tous, ils rient; Esther autant qu'eux.

— *Tu ne peux pas devenir pompier, Bleue, tu es une fille!*

Je monte mon escalier en leur criant de toutes mes forces:

— *Et pourquoi? Pourquoi une fille ne peut-elle pas être pompier?*

Et dans le vestibule, je réfléchis longuement. Monsieur Surprenant est chauffeur d'autobus, monsieur Coutu est typographe, monsieur Dallaire est électricien, monsieur Larose est avocat, monsieur Bordeleau est laitier, monsieur Lambert est bedeau, monsieur Séguin est cordonnier, mon père est comptable. Madame Surprenant est mère, madame Coutu est mère, madame Dallaire est mère, madame Larose est mère, madame Bordeleau est mère, madame Lambert est mère, madame Séguin est mère et moi... moi... je serai pompier...!

Et le lundi matin, je quitte mon abri dans mon tailleur marron pour me fondre au peuple des fourmis qui
trottent vers leur travail à travers les allées souterraines.
Que s'est-il donc passé? J'étais allée rencontrer Jacques
et son écrivain, voilà que je tombe sur toi et alors, un
mécanisme bizarre se déclenche: ça se met à parler sans
arrêt dans ma tête, c'est à toi que ça parle et ça veut dire
tout sans rien oublier, ni les images, ni les cris, ni l'angoisse, ni l'horreur. Toutes ces années de silence pour en
arriver là, à cette avalanche de mots qui n'en finit plus de
débouler vers toi sans t'atteindre. Je m'étais tue si longtemps. Ma rupture avec Jacques m'avait coupée du
monde et je vivais, depuis, comme une automate, sans
regarder, sans recevoir la vie. Sans être touchée par elle.
C'était comme une sorte de paix. J'étais une fourmi perdue dans mon peuple de fourmis et ça pouvait toujours
aller.
Mais voilà que ça ne va plus. Je suis dans le métro
comme chaque matin, mes pieds me conduisent au
bureau comme chaque matin et je n'arrive plus à trouver
cet ailleurs où me perdre. Tout s'embrouille, les images
s'entêtent, veulent parler encore, cherchent dans chaque
visage égaré ce regard obèse au fond duquel elles se veulent accueillies. Quelle folie! Comme si là-bas, entre tes
murs de dentelle, la vie de Josse pouvait avoir un sens! Et
c'est bien là le piège: je ne veux plus lutter, je veux laisser
les images apparaître et jouer devant moi; il m'est doux
d'imaginer que quelque part on se soucie peut-être un peu
de moi...

Au bureau, je retrouve un décor familier. Quatre
murs laiteux recouvrant, tel un linceul opaque, le va-et-
vient absurde de cinquante-quatre robots fonctionnaires

qui tètent avec sérieux le café infect sécrété par la distributrice automatique de l'étage. J'occupe le pupitre qu'on m'a assigné il y a vingt-deux mois au Bureau de l'indemnisation de la Commission des accidents du travail. Pour un salaire de 11 873 $ par année, je transcris à la machine à écrire, sur le papier officiel, les rapports de nos valeureux enquêteurs. Car ces messieurs, sélectionnés parmi les plus vaillants, les plus nobles et les plus zélés de nos gentilshommes diplômés, remettent quotidiennement au Bureau les résultats étonnants de leurs études sur le terrain. En tant que sténodactylo, je dois copier littéralement la prose édifiante empilée sur le coin gauche de mon pupitre, refrénant mon élan naturel à y apporter les légères corrections qui pourraient la rendre lisible. «L'accidentée, laquelle a eu son accident en effectuant du ski pour ses élèves dont elle est la monitrice à temps partiel, n'a pu exempter l'accident dont notre dossier concerne.» Tu noteras que l'extrait cité ne comporte aucune faute d'orthographe, la sténodactylo étant tenue de respecter rigoureusement l'accord des verbes, l'emploi des accents et autres tracasseries grammaticales, sans toutefois intervenir dans le déroulement de la pensée des auteurs. Je résiste mal au plaisir procuré par la lecture de ces hautes voltiges littéraires. «Elle a été assaillie par un individu inconnu qu'elle n'avait jamais vu auparavant. Le suspect s'identifia au poste, lors de son identification, de la façon suivante: oui, c'est moi.» Tu comprends, n'est-ce pas, la satisfaction que j'éprouve à vivre quotidiennement au sein de ce cénacle d'esprits éclairés...!

Mon statut de fonctionnaire comporte de précieux avantages. Sans bouger de ma chaise, je suis plongée au cœur des événements les plus palpitants de l'activité sociale, le crime, le vice et le sang. Par procuration, je traque les criminels, je poursuis les fraudeurs, je côtoie les auteurs d'enlèvements, les violeurs et les escrocs, je participe aux chasses à l'homme et aux enquêtes palpitantes menées par nos limiers résolus et farouches. On ne pourrait souhaiter statut professionnel plus choyé, à tel point exempt d'ennui. Je n'ai qu'à songer au hasard qui aurait pu faire de moi la secrétaire-bras-droit d'un sous-chef d'entreprise adjoint conventionnel pour mesurer ma chance! Il m'arrive certains jours, j'en conviens, d'avoir l'idée d'étrangler de mes mains le crétin qui me tient lieu de patron, mais en pure gratuité, pour la seule beauté du geste.

Le sort a voulu que je déniche ce «neuf à cinq» absurde, réfractaire à la moindre ébauche de relation humaine; ce n'est pas moi qui m'en plaindrai. Avant d'aborder le milieu du travail, je craignais de devoir affronter des humains curieux et indiscrets qui me force-raient à parler de moi, à révéler, peut-être, le gouffre de haine qui m'habite. Fort heureusement, dans cet entre-pôt de la bêtise, on ne distingue pas la haine de la simple sottise; je suis couverte. Dans ce réservoir de l'horrible, je suis au chaud comme dans un nid douillet.

Quand je quitte mon abri, le matin, dans mon petit tailleur marron, ma serviette sous le bras comme les gens pressés qui vont à leurs affaires, je suis tranquille: je sais qu'il va se passer quelque chose. Confortablement instal-lée derrière mon pupitre, j'ouvrirai tout grand mon jour-nal du matin et j'en lirai consciencieusement chaque entrefilet en sirotant un café; l'exercice durera une heure. Après, je prendrai connaissance des notes de service accumulées depuis la veille; je m'appliquerai à répondre à chacune, ne ratant pas l'occasion de mettre à l'épreuve mes facultés intellectuelles. Puis, je remplirai pour la trei-zième fois les bons de commande en vue d'obtenir mes deux stylos, ma boîte d'étiquettes blanches et mes trom-bones; il n'y aura sur mon visage aucune trace d'impa-tience, même si le sous-commis-grade-un-adjoint-au-chef-magasinier-par-intérim, assurément débordé de tra-vail comme nous tous, tarde encore à répondre. Entre temps, je prendrai les appels et les acheminerai vers les préposés aux relations publiques qui les refileront aux enquêteurs, lesquels, zélés et efficaces, se présenteront à bout de souffle à mon pupitre pour réclamer les dossiers des requérants dûment étiquetés et oubliés dans les clas-seurs de mon service... ou ailleurs!

J'éprouve une joie sans cesse renouvelée à observer les méandres complexes de l'appareil hautement qualifié de la Fonction publique. Peut-on se lasser de sonder la profondeur inexpugnable et la beauté plus-que-parfaite de la bêtise humaine? Mon poste d'observation est enviable: je suis, pour ainsi dire, au balcon. Je vois tout, j'entends tout; on entre de partout à la fois, on rit, on pleure, on se bouscule, l'action trouve ses rebondissements dans son propre essoufflement: c'est du grand art!

Lorsque l'horloge marque cinq heures, contrairement aux cinquante-quatre autres robots fonctionnaires qui se précipitent vers l'ascenseur pour renouer avec leurs problèmes conjugaux, moi je regagne les couloirs souterrains de la ville, dans un tailleur marron qui n'a rien à voir avec l'écorchée vive qui m'attend dans mon trou. Je m'attarde aux vitrines des boutiques, j'observe un détail nouveau dans un visage saisi au hasard dont le regard distrait ne peut en rien reconnaître chez moi les traits déjà évidents d'une race étrangère à la sienne. Ma journée est finie. Je peux fermer la porte.

Mais aujourd'hui, c'est différent. J'ai quitté mon abri comme d'habitude, ma petite serviette sous le bras et le miracle ne s'est pas produit. Les images me poursuivent, me rattrapent, m'accompagnent au bureau, se recomposent sur le journal étalé devant moi, dont je ne cesse de fixer la page deux, jusqu'au dîner. Le café refroidit dans le verre de carton; le téléphone sonne en vain; la machine à écrire n'est pas branchée; les notes de service s'empilent; le patron me lance un regard faussement complice en passant devant moi: «Ça va, aujourd'hui?» Non. Non, vraiment, ça ne va pas.

La rivière m'a reprise. Elle me tient, elle m'entraîne dans ses remous, elle me force à revenir tête première dans la terrifiante maison du bord de l'eau. Et je te parle sans arrêt et je revis, pour toi qui n'en sais rien, les événements troublants d'un passé que je croyais avoir enterré.

La mort de mon père nous faisait basculer de la pauvreté à la misère. L'aide sociale ne tenait pas compte, dans le montant des allocations, de l'appétit insatiable de ma mère, lequel suivait l'ascension effrénée de l'inflation. La nourriture achetée pour les trois prochains jours était dévorée par l'ogresse en une seule soirée. Il fallait trouver sans cesse de nouvelles cachettes pour les conserves, retarder l'achat de la viande hachée jusqu'au moment des repas, éliminer complètement les fruits, les œufs, le beurre, le fromage, les biscuits et les friandises, bref, astreindre l'obèse à un régime forcé. Les notes s'accumulaient tout de même à l'épicerie: ma mère effectuait ses commandes personnelles par téléphone. Je fis couper le service téléphonique.

Des familles riches m'engagèrent comme aide ménagère. On payait peu mais on m'offrait vêtements, meubles et autres objets vétustes qui s'animaient d'un nouvel éclat sitôt déposés dans l'enceinte du taudis. Ma mère acceptait ces aumônes comme des cadeaux d'anniversaire et la joie allumait son regard pâle d'un éclair qui amusait les garçons. Un soir par semaine, j'allais au presbytère et je lavais les corridors et l'escalier pour trois dollars et deux kilos de pommes de terre reçus des mains glacées et bénies de l'économe. La paroisse faisait son devoir: elle entretenait la misère de ses pauvres.

Les garçons distribuaient les journaux, s'occupaient des pelouses l'été, des entrées de garage l'hiver; ils tentaient leur chance dans des commerces de friandises, de livres d'occasion, de bouteilles vides et d'autres objets inutiles. Aussi imprudents que maladroits, ils durent abandonner le vol à l'étalage qui s'était avéré, dans son principe, l'activité la plus lucrative.

J'avais joué à la mère pendant cinq ans; je devrais jouer au père durant les dix prochaines années. Les gamins attendaient tout de moi: sécurité, réconfort, affection, autorité, conseil. J'éprouvais une certaine fierté à me savoir indispensable; il m'arrivait néanmoins de remarquer que personne ne se souciait de Josse, de ses rêves ou de ses désirs, de ses colères ou de ses peines. Chacun tétait à la mamelle, la croyant intarissable. Il m'arrivait de m'échapper et de marcher pendant des heures au bord de la rivière, perdue dans mes pensées d'adolescente. L'avenir n'existait pas pour moi mais je rêvais à l'étrange miracle qui transformait mon corps, mes émotions, mes sens et je cherchais confusément à quel destin occulte cette nouvelle Josse serait vouée. J'avais peu de temps à consacrer à moi-même et j'y trouvais d'ailleurs peu de plaisir. La jeune femme qui se formait m'était étrangère et je ne la laisserais pas perturber l'équilibre précaire sans lequel notre univers risquait de s'écrouler.

Ma mère rêvait plus que jamais. La mort de mon père avait imprimé sur sa face les traits indélébiles de la parfaite satisfaction d'avoir enfin trouvé un visage à coller sur son rêve de prince charmant. Son mari fut subitement investi des qualités démesurées exigées par sa démence; on ne risquait plus d'être gêné par les tristes limites de la réalité...! Mon père était devenu le symbole du charme, de la douceur, de la bonté; comme il savait donc rire et aimer! Comme la vie avait été bonne auprès de lui! Comme il avait été fidèle et attentif! Curieusement, aucun accent de douleur ne révélait à quel point cette femme, jadis comblée, se trouvait aujourd'hui privée de l'être exceptionnel qui l'avait entourée pendant tant d'années.

Le rêve débordait de la chaise berçante; il occupait tout l'espace. Il s'attaquait avec véhémence à la fragile féminité qui s'entêtait à s'exprimer à travers moi. Je devais monter ma chevelure sur des bigoudis, porter des souliers à talons hauts, des bas transparents, des jupes étroites, des blousons ajustés; je devais enduire mon visage de cosmétiques de toutes sortes; je devais m'exercer aux mimiques ridicules de la fausse pudeur qui me rendraient irrésistible, le cas échéant... Car c'était évident, j'étais promise à un grand avenir et ce fabuleux destin serait la conséquence de mes aptitudes à la séduction. Dans mon cas, il faudrait compter sur l'application, la nature m'ayant quelque peu négligée sous ce rapport. Quoi qu'il en soit, ma mère ne perdait pas courage et ses récriminations me poursuivirent jusqu'à mes vingt-cinq ans bien sonnés.

Je comprenais d'où lui était venue l'obsession du prince charmant: de sa mère qui, elle, l'avait aussi acquise de sa mère; je sentais que la chaîne était longue. Mais je ne comprenais pas pourquoi, ayant eu devant les yeux la dure réalité incarnée par mon grand-père (que nous nommions entre nous «le chaînon manquant» pour mettre en évidence ses étonnantes qualités physiques et intellectuelles), par mon père, par mon frère aîné (enrôlé dans l'armée canadienne), je ne comprenais pas pourquoi je devrais fermer les yeux et imaginer les hommes autrement que je ne les avais connus: lâches, dépendants, colériques, prétentieux, exigeants, autoritaires, volages... Je ne comprenais pas pourquoi il me fallait absolument espérer décrocher ce gros lot, et pourquoi, histoire de mettre toutes les chances de mon côté, je devais déployer un tel zèle à développer un personnage qui ne me ressemblait pas.

Du fond de sa démence, la sorcière s'efforçait de transmettre à sa fille la clé de ses pouvoirs occultes. Il fallait répéter à voix haute les paroles magiques, il fallait se faire vase et laisser le charme habiter en soi, il fallait accueillir la semence et payer de son sang la facture de la vie. Quel beau projet! J'appartenais à une race de femmes liées, enchaînées à leur sort comme à la patte du poêle, marquées au fer rouge et jetées tête première dans un cirque qui profitait à qui et pourquoi? Pourquoi devais-je m'aligner et suivre le troupeau? Ma mère avait déjà brisé la chaîne en choisissant la folie; d'où venait

donc cette voix qui parlait par sa bouche et fouillait mes
entrailles en quête d'un écho? Pourquoi voulait-on me
forcer à renouer avec cette tradition absurde? À quelle
horrible initiation étais-je conviée? Non, on ne m'aurait
pas. Je serais à jamais maudite et puis quoi? J'accueille-
rais la semence en moi par pur plaisir mais je la garderais
pour moi, je la boirais, m'en soûlerais pour la seule jouis-
sance d'y reconnaître l'énergie de la mer en furie! Je ne
serais pas un vase! Je ne serais pas un étang! Je serais
JOSSE!

Les garçons grandissaient. Louis était le plus doux, le plus sensible, le plus fragile. Une inquiétude permanente se dégageait de son corps gracile. Il cherchait constamment le réconfort, les caresses, les mots tendres. Il jouait mal, étudiait mal, ne semblait pas entendre ce qu'on lui disait. La peine s'était creusé un nid en lui et rien ne pourrait la déloger. C'était un enfant rêveur, perdu dans un ailleurs qu'il ne partageait avec personne. Le soir, il fallait le rassurer, lui raconter de longues histoires avant qu'il accepte d'aller au lit. Souvent, la nuit, il s'éveillait en sanglots et venait me rejoindre dans ma chambre.

— Josse, je ne veux plus y aller!
— Où ça?
— À l'école.

À douze ans, il reprenait sa cinquième année, alors que Jean-Marie, le cadet, réussissait haut la main dans chaque matière du programme de la septième. Le rêve des longues études se réaliserait peut-être pour Jean-Marie, mais il était évident que Louis devait y renoncer. Ma mère profitait de la situation; le moindre rhume était prétexte à garder l'enfant auprès d'elle. Ils jouaient aux cartes, flânaient, regardaient la télé toute la journée. Louis se plaisait dans l'immobilité; il ne saurait jamais composer avec le mouvement. La vie l'agressait; c'était un perdant. Il avait recherché pour le jeu la compagnie de son cadet, mais celui-ci lui avait vite préféré de nouveaux camarades frondeurs et batailleurs. Alors que Jean-Marie s'agitait dans une vie sociale trépidante, Louis ne connaîtrait jamais que la tristesse et l'isolement.

Jean-Marie se servait de son frère. Des contrats d'entretien ou de peinture étaient honorés par Louis seul, alors que le cadet touchait sa part de l'argent gagné.

Louis distribuait les journaux pour son frère, pendant que l'autre s'amusait. Jean-Marie promettait sans cesse, mentait toujours. Louis pleurait quelquefois, ne se plaignait jamais.

Il y avait déjà entre ces deux enfants, liés par la misère et le désespoir, un jeu de forces qui profitait à l'un au détriment de l'autre et j'assistais à ces combats sans comprendre quel pouvait bien en être l'enjeu. Jean-Marie n'avait pas attendu le plat de lentilles pour ravir à son frère son droit d'aînesse. Pourquoi Louis abdiquait-il avec une telle docilité? Les deux comportements me mettaient également en colère.

Un jour, j'achetai une guitare d'occasion. L'objet intéressa vivement les garçons, et particulièrement Jean-Marie qui, en moins d'un mois, reproduisait par oreille une bonne dizaine d'airs connus. Louis, nettement moins habile, ne touchait jamais l'instrument devant son frère. Mais il était fasciné. Sitôt après le départ du cadet, il se mettait à l'ouvrage: il tâtonnait, bûchait, cherchait, ne lâchait pas. Jean-Marie oublia vite sa passion musicale; Louis s'entêta. C'était la première fois que l'enfant manifestait un intérêt précis, j'étais ravie. Je dénichai des méthodes, des feuilles de musique, un vieux tourne-disque, des morceaux choisis pour la guitare, enfin je fis de mon mieux pour encourager ce curieux apprentissage. Il ne fallait pas trop escompter des résultats. L'élève chantait faux, n'avait aucune mémoire, on ne l'avait jamais vu se concentrer sur quoi que ce soit; comment arriverait-il à déchiffrer les partitions musicales, à délier ses doigts, comment s'y prendrait-il pour sortir de cette vieille carcasse autre chose que les sons grinçants qui nous rebattaient les oreilles depuis des mois? C'était son affaire: je ne m'en mêlais pas. J'étais néanmoins satisfaite de voir enfin mon jeune frère se concentrer pendant des heures sur une occupation.

C'est au bout de deux ans qu'il décida de nous interpréter son premier morceau. Nous étions réunis dans la cuisine; je raccourcissais une jupe, Jean-Marie me parlait d'une jeune fille qu'il allait rencontrer ce soir-là, maman somnolait devant la télévision et Louis nous observait tous depuis un bon quart d'heure. Brusquement, il lança: «Aimeriez-vous que je vous joue un air de guitare?» Nous étions bouche bée. Il alla chercher l'instrument, des feuilles de musique, s'assit calmement et commença à jouer. Nous étions sidérés. La beauté toute nue venait d'entrer dans la maison. Les notes couraient, agiles et joyeuses et déroulaient un chant dont la magie nous envoûtait. Maman fixait Louis comme si elle s'était trouvée devant l'archange Gabriel en personne, éperdue de respect et d'admiration devant le génie qui avait tant tardé à se manifester. De fait, il jouait magnifiquement. Il touchait les cordes avec précision et l'assurance de son jeu effaçait l'hésitation inhérente à son caractère, comme si ses doigts avaient développé une existence autonome et invulnérable. Louis interprétait le *Canarios* de Gaspar Sanz; il nous rejouerait souvent ce morceau par la suite.

Après la séance, il déposa son instrument dans le coin de la pièce et accepta nos félicitations de bon cœur, sans vanité. Il refusa cependant de jouer un second morceau, prétextant que les pièces sur lesquelles il travaillait n'étaient pas encore à point. C'était la fête! La musique avait tout chambardé et nous sentions une force nouvelle nous habiter. Louis deviendrait un virtuose et nous travaillerions tous ensemble à l'épanouissement de ce grand talent!

Maman quitta la chaise berçante et déplaça ses cent kilos vers le fils prodige. L'étreinte semblait ne devoir jamais finir et soudain, au milieu de l'embrassement, je saisis le regard de Louis posé sur son frère. Je frémis encore aujourd'hui au souvenir de ce regard. Je venais de comprendre l'enjeu colossal qui entretenait les singulières querelles de mes frères: ils se disputaient l'exclusivité de l'affection de leur mère.

Jean-Marie se faisait aimer naturellement: il était le plus fort, le plus drôle, le plus futé; il souriait toujours, charmait son entourage, ne répugnant pas à abuser de son charme au besoin. Quand, par exception, l'heure était à la tendresse maternelle, il se trouvait là pour récolter. Louis n'avait jamais semblé se soucier de ces mises en scènes absurdes. Il se tenait à l'écart, laissait la vague déborder sans exiger son dû, considérant son frère comme le destinataire officiel des effusions maternelles.

Le soir de ce premier concert, je compris, dans l'expression de victoire qui figeait la bouche de l'adolescent en un rictus inoubliable, que Louis entendait désormais se servir en main propre, qu'il défendrait farouchement le territoire qu'il n'avait jamais réellement concédé à son frère. Il fallait reconnaître que la situation conférait à l'aîné une bonne longueur d'avance; Jean-Marie, pour marquer à son compte pareil exploit, devrait devenir au moins chef d'orchestre!

Louis fut donc fêté, cajolé, louangé comme il le méritait. Chaque soir, il offrait un petit concert à sa mère, auquel celle-ci répondait par un hochement de tête approbateur et une petite larme au coin de l'œil gauche, cueillie discrètement avec un pan de son tablier. À tout moment de la journée, le jeune homme se voyait gratifié d'un «comment va mon fils aujourd'hui?» ou encore d'un «ne te fatigue pas trop mon grand», noyé dans un sourire humide qui en disait long. L'enfant jubilait; la mère rêvait de plus belle. Combien de temps Jean-Marie accepterait-il qu'on le mette ainsi de côté? Mes frères avaient alors seize et dix-sept ans.

L'offensive fut déclenchée la nuit de Noël. Jean-Marie nous avait recommandé d'être tous là car il avait eu une idée formidable pour le réveillon. La déclaration avait de quoi étonner; nous n'avions jamais préparé le moindre réveillon de Noël. La joie de cette fête étant intimement liée au pouvoir matériel, nous avions toujours préféré aller dormir plutôt que de pleurer ensemble sur ce que nous n'aurions jamais. Or cette année-là, nous eûmes un réveillon.

Je préparai un semblant de repas de fête avec sandwiches et boissons gazeuses; maman sortit sa nappe blan-

che, cadeau de noces d'une cousine riche; Louis confec-
tionna des banderoles qu'il fit pendre du plafond d'un
bout à l'autre de la maison; Jean-Marie s'affairait dehors
à ce qu'il appelait sa surprise; à minuit tapant, nous
étions prêts, il ne manquait que le cadet. On sonne. Un
Père Noël, yeux brillants, barbe ouatée, entre en riant et
se dirige sans hésiter vers la cuisine. On le fait asseoir à
côté de ma mère qui tremble de joie comme une enfant.
«Mes chers enfants, commence le vieillard, je sais que
vous avez tous été sages cette année. Le Père Noël avait
depuis longtemps perdu votre adresse, mais il l'a heureusement retrouvée dernièrement, et cette nuit il entend
combler de grandes lacunes. Y a-t-il une maman dans
cette salle?» L'homme se lève en courbant le dos et fait
mine de chercher dans toute la maison l'être mystérieux
qui répondrait à ce vocable.

Ma mère riait, battait des mains, frappait du pied.
Le charme agissait. Le Père Noël découvre enfin la folle
suffoquant sur sa chaise. Il l'embrasse vigoureusement
puis, le front plissé en signe d'intense concentration, il
fouille dans l'immense poche de toile qu'il avait traînée
avec lui en entrant. Un petit colis soigneusement emballé
est offert à la dame. Le moment est chargé d'émotion. La
petite boîte bleue portant le nom d'un bijoutier connu
contenait une délicate rivière de diamants! J'espérais me
tromper, je souhaitais de toutes mes forces que les pierres
soient fausses, mais je compris, au regard assuré du bon-
homme, que la folle venait de recevoir un jouet d'un mil-
lier de dollars! Nous n'étions encore qu'au premier acte;
le spectacle promettait de soutenir l'intérêt!

On eut droit au monologue poético-romantique de
la mère en proie à une crise de reconnaissance envers le
ciel qui vouait ses fils à des destins aussi exceptionnels.
Puis, le Père Noël s'attaqua à la grande sœur, armé d'un
impressionnant colis. Pendant que mon frère Noël débal-
lait le paquet, je tentai de le ramener à la réalité en lui
soufflant à l'oreille:

— Je connais un Père Noël qui va avoir de l'ouvrage le 26 prochain!

— Quel ouvrage?

— Celui de rapporter à leurs propriétaires respectifs tous les objets empruntés pour la fête.

— Vous saurez, chère grande sœur, que le Père Noël paie comptant; il peut même produire les factures sur demande!

Le personnage irrité tourne les talons et me plaque devant les œuvres complètes de Balzac avec reliure en cuir sur tranches dorées. Je suis au bord de la crise de nerfs!

En levant la tête, j'aperçois le visage de Louis, contrefait par la violence de l'émotion; on a posé sur ses genoux la guitare qu'il n'avait jamais espéré posséder, un magnifique instrument de concert qui permettrait au jeune musicien d'accéder enfin à une qualité d'interprétation peu commune. Jean-Marie rompt le silence en retirant sa tuque: «Bon, à présent: à table! Je meurs de faim, moi!» Il y avait peu de chances que je découvre la clé de l'énigme au cours de la nuit; je décidai de différer mon enquête de quelques jours et de laisser la fête suivre son cours. Mais le gamin ne perdait rien pour attendre; cette fois, j'étais bien décidée à prendre la situation en mains.

J'exigeai en effet les factures, qui semblaient véridi-
ques et je rendis visite, en premier lieu, au bijoutier dont
l'adresse figurait en tête de la liste. Le vendeur se souve-
nait très bien du jeune homme qui avait acheté le bijou
quelques semaines avant Noël pour une très jolie fiancée,
un peu plus âgée que lui, qui l'accompagnait. Le couple
était bien sympathique. La décision avait été prise rapidement et on avait payé comptant. Comment s'appelait la
fiancée, le jeune homme l'aurait-il nommée par hasard
au cours de l'entretien? Comment savoir? Marcelle,
peut-être, ou Martine? Impossible de se souvenir. Elle
était longue, élancée, portait un chapeau et une veste de
renard blanc. On aurait pu lui donner vingt-deux, vingt-
trois ans. Évidemment une fille de bonne famille, malgré
le jean usé qui dépassait de la jaquette de fourrure. Un
beau couple, vraiment! S'agissait-il d'amis à moi? Le
jeune homme serait une manière de parent éloigné. Ah
bon, oui, oui, le vendeur comprend tout, il a l'habitude
des histoires d'amour...

L'œuvre complète de Balzac avait été achetée par un
jeune universitaire qui voulait l'offrir à un vieil oncle un
peu fou, qui adorait les reliures de luxe. Balzac, Hugo ou
Lamartine, n'importe quel auteur conviendrait pourvu
qu'il fût d'un autre siècle et prolifique. Voilà que le frérot
se payait ma gueule par procuration par-dessus le marché! L'étudiant avait prévu que la fille cadette, plutôt
grippe-sou, tenterait peut-être de revendre les livres,
auquel cas le vendeur accepterait de les reprendre à moi-
tié prix. Pouvait-on faire quelque chose pour moi? Non
merci, fus-je forcée de répondre, l'avarice caractérisant
la sombre cousine l'empêchait de conclure une transaction si peu avantageuse...

La guitare avait été achetée à Montréal. Le voyage
m'aurait appris quoi? Qu'un virtuose tenant à conserver

l'anonymat voulait acquérir une troisième guitare, qu'il
ne chicanerait pas sur le prix mais exigeait un son de la
plus haute qualité; ou alors qu'un étudiant en musique
espérait rafler tous les prix d'interprétation en se procurant la meilleure guitare du magasin, que sais-je? Il n'y
avait aucun indice à trouver de ce côté. Je notais que mon
frère avait pris ses précautions et qu'il avait sans doute
prévu mon enquête. Bon: il avait toujours payé comptant. Mais avec quel argent? Avec son salaire de plongeur
à la brasserie pendant les fins de semaine? Il finissait son
Cégep, ce n'était tout de même pas dans un tel établissement qu'un étudiant pouvait faire fortune! Il restait les
hold-up, la fraude ou quoi encore? Oui, le petit frère
pouvait bien rire dans sa barbe de Père Noël! Le mystère
n'était pas prêt d'être éclairci.

Chose certaine, le rythme de vie de mes frères changeait. Louis commença à donner des concerts, d'abord
dans quelques écoles et salles paroissiales de la région
puis, très rapidement, pour des collèges et organismes
d'un peu partout au Canada et même aux États-Unis. Le
pauvre garçon était mort de peur avant chaque voyage;
nos encouragements lui étaient indispensables car ce
n'était qu'au bout de longues effusions qu'il se décidait à
prendre place dans la familiale d'occasion de Jean-Marie
pour se laisser conduire au lieu du supplice. Le cadet s'occupait de tout: il dénichait les contrats, négociait au nom
de l'artiste et accompagnait celui-ci dans tous ses dépla-
cements. Louis se rendit de plus en plus loin: de Vancou-
ver à la Californie et même au Nouveau-Mexique.

Au bout de la première année, il avait donné une cin-
quantaine de concerts. Un détail m'agaçait: pas une seule
mention de ces spectacles n'était faite dans les journaux
étrangers qui auraient dû signaler, ne serait-ce qu'en
entrefilet, la montée vertigineuse de cette nouvelle étoile
de la guitare classique. Louis confessait en rougissant son
peu d'intérêt pour l'aspect social de sa carrière. Maman
tempêtait. Qu'attendait donc l'Amérique pour honorer
le génie de son fils? Elle se procurait tous les magazines

artistiques américains, ne connaissant aucun mot d'anglais, au cas où la photo de son garçon apparaîtrait. Au bout de quelques heures de travail de moine elle s'impatientait et il fallait reprendre toute la liste d'explications réelles ou fictives pour tenter de la calmer.

Les concerts constituaient un apport financier qui, sans être considérable, nous permettait tout de même de boucler le budget. J'avais donc plus de temps libre et je passais presque toutes mes soirées à la maison occupée à mon passe-temps favori: la lecture. Je m'étais découvert une passion pour la science sous toutes ses formes: l'atome, le système solaire, la technologie, la biologie; je n'y comprenais pas grand-chose mais j'étais fascinée. Je découvrais le monde; je laissais la vie se raconter à moi et je m'émerveillais.

Plus les concerts se multipliaient, moins Louis pratiquait son instrument à la maison. Il restait dans sa chambre, étendu sur son lit, écoutant inlassablement les mêmes pièces musicales sur sa nouvelle chaîne stéréo. Il n'était pas vraiment triste: il était ailleurs. Ses yeux brillaient d'un étrange éclat comme si le bleu cherchait une nuance plus lumineuse, plus troublante.

Jean-Marie dormait rarement à la maison; sa vie se passait dehors. Il faisait un saut de temps à autre, joyeux, nerveux, rieur, puis repartait à la course, après avoir embrassé tout le monde. Cette année-là, on aurait pu se croire heureux... Maman passait de plus en plus de temps à l'hôpital. Le temps était presque venu de commencer à faire des projets. Mais il ne fallait rien brusquer.

Je travaillais depuis cinq ans à l'entretien ménager de l'hôtel Royal. Mon expérience et mes antécédents avaient été une garantie de stabilité; avec une sixième année, une mère malade et une famille à charge, j'avais de fortes chances de me trouver encore là dans un quart de siècle! Pour boucler les fins de mois, je louais mon corps à quelque voyageur de passage dans la région à des conditions très strictes: la transaction devait avoir lieu à l'extérieur de la ville, elle serait de courte durée car je devais rentrer avant minuit et le client ne chercherait jamais à me revoir. Depuis l'avènement des concerts, ces suppléments n'étaient plus nécessaires, les garçons étant financièrement autonomes. Je jouissais enfin de toutes mes soirées et de tous mes week-ends.

Un dimanche matin, vers onze heures, je lisais le journal en sirotant un café froid, on sonne. Devant la porte, une longue fille à cheveux noirs portant une veste de renard blanc me dévisage avec frayeur.

— Pardon mad... je... excusez-moi, il faut que je voie Jean-Marie immédiatement.

— On ne l'a pas vu depuis deux jours.

— Ah!... Est-ce que... Louis est là?

— Ben non, justement, il est sorti depuis une demi-heure, il ne devrait pas tarder, j'imagine. Voulez-vous entrer? Marcelle, je crois?

— Martine. Non, il faut que je parte, on m'attend. Écoutez, j'ai un paquet pour Jean-Marie, remettez-le-lui, je vous en prie, il va comprendre.

Et elle me plaque un paquet assez lourd dans les mains, avant de se glisser dans la décapotable blanche qui attend, moteur en marche, devant la maison. L'engin décolle dans un crissement de pneus et tourne le coin sans respecter l'arrêt. Du monde bien pressé pour un dimanche matin!

Je n'entrais pas souvent dans la chambre des garçons; je respectais leur territoire comme ils respectaient le mien. Ce matin-là, je m'y attardai. Je posai le colis sur la commode et m'étendis un moment sur le lit de Louis. Ainsi donc elle existait, cette fiancée secrète, et elle s'appelait Martine. Jolie, mais pas jasante! Pourquoi ne l'invitait-il jamais à la maison? Évidemment, les filles de bonne famille et les taudis... Ils ont quand même une bonne différence d'âge, le petit s'imagine peut-être... Elle connaît Louis qui semble approuver cette liaison. Pourquoi Jean-Marie se méfierait-il de moi? Est-ce que je me suis déjà mêlée de ses affaires? Bien sûr il y a eu cette histoire au réveillon que je n'ai d'ailleurs toujours pas élucidée... Il m'en veut encore, c'est évident...

En tâtant l'oreiller, ma main touche un objet froid qui me fait sursauter: un revolver! Louis dort avec un revolver sous l'oreiller!... Il lui a longtemps fallu des objets en peluche pour s'endormir; je ne m'attendais pas à ce qu'une arme pût avoir l'effet apaisant d'un ourson. Qu'est-ce qui se passe avec Louis? Il est sorti à toute vitesse tout à l'heure, sans m'adresser la parole. Ses concerts le fatiguent. Dès que Jean-Marie passera à la maison, on en parlera.

Je fixe le colis depuis un moment et je sens une sorte d'angoisse monter en moi comme si la jeune femme, le colis, le revolver et l'état nerveux de mon frère pouvaient être liés de quelque façon. Je décide de l'ouvrir, quitte à présenter mes excuses plus tard. Je découvre, sous l'enveloppe brune, un sac de polythène rempli d'une poudre blanche qui ressemble à du sucre à glacer. Quel intérêt mes frères pouvaient-ils bien trouver dans un kilo de sucre à glacer?

Une voix derrière mon dos me fait sursauter: «Voilà, à présent, tu sais tout. Les voyages, les concerts, l'argent, oui, c'était ça...» Louis est appuyé au chambranle de la porte. «C'était quoi? Voyons, parle! Où est Jean-Marie?» Les mot sont coincés au fond de sa gorge, il veut parler, ses yeux cherchent les miens, se sauvent, reviennent. «Oui, Josse, tu as bien vu, c'est un kilo de cocaïne. En ce moment on est coincé, on est foutu, je ne sais pas quoi faire. Jean-Marie est introuvable. Il faut cacher ce maudit paquet, mais où? C'est ici qu'ils vont fouiller en premier. Je ne sais pas quoi faire, Josse, aide-moi!» Il se jette dans mes bras en pleurant.

Je le fais asseoir sur le lit et tente de le calmer.

— Écoute, Louis, ne t'énerve pas; c'est sûrement moins grave que tu ne crois. Ce paquet, on va le remettre tranquillement à la police et tu verras, tout va s'arranger.

— Tu es folle? À la police, on va nous questionner et on a les autres dans le dos, c'est foutu, Josse, tu ne peux pas comprendre.

— Louis, vous avez dix-huit ans tous les deux, ils ne vont tout de même pas vous enfermer pour le reste de vos jours; ils vont comprendre.

— La prison, pour nous, c'est hors de question, Josse, on a la pègre aux fesses!

Jean-Marie est entré en trombe et fonce sur nous comme un orignal. Il s'empare du sac et se rue sur son frère: «Arrive!» Je m'interpose, je crie, je veux empêcher l'inévitable. Jean-Marie me lance avant de sortir: «T'en fais pas, Josse, on t'expliquera!» La porte claque.

J'entends la voiture démarrer.

La suite, ils l'ont racontée des dizaines de fois au procès. Je ne sais pas. Je n'arrive pas à raccorder les bouts ensemble. La chasse à l'homme. Jean-Marie a descendu un policier. Ils ont abattu Louis. Ils m'ont ouvert le ventre. Ils m'ont avorté de mes frères. Jean-Marie est à l'ombre pour le reste de ses jours, lui qui cherchait le soleil. Il lui enlèvent la vie goutte à goutte pour le punir d'y avoir bu de toute sa soif, de toute sa folie d'adolescent. Louis est sous terre et je sais qu'il a froid.

Maman fut placée en permanence dans un établissement pour malades chroniques. Un désir profond avait pourtant été réalisé: elle l'avait eue, la photo de ses fils dans le journal! Le choc l'avait secouée comme un vieux pommier et elle avait perdu le peu de bon sens qui lui restait. Quand je suis allée la voir, elle ne m'a pas reconnue. Elle m'a reçue avec la condescendance d'une star qui accorde une entrevue à une journaliste débutante. Elle me raconta sa vie avec force détails: son amant avait été capturé par l'ennemi, on essaierait de le faire parler, il mourrait sans doute de faim et de froid au fond d'un cachot infect, sans savoir que la fiancée porte en son sein le fruit de leur amour, etc.

Là, j'ai craqué. La colère s'est emparée de moi, je me suis jetée sur l'amas de graisse et j'ai frappé, frappé,

et ses cris excitaient ma fureur, et je frappais, et les yeux
horrifiés de la folle nourrissaient ma haine, et je frappais,
frappais... Deux hommes sont entrés et m'ont délivrée de
ma proie. Je me suis retrouvée dans la rue. J'ai marché.
Je suis entrée dans un bar et je me suis soûlé la gueule.
Puis je suis rentrée en titubant. Je me suis couchée tout
habillée et j'ai dormi deux jours. Je n'ai jamais revu ma
mère.

Chapitre 4

L'ÉCOLE

Les mois ont passé. J'avais abandonné la maison du bord de l'eau avec tout le bazar pour m'installer dans une chambre louée à deux pas de mon travail. Je n'avais apporté avec moi que quelques robes, mes livres et un appareil radio portatif. Tous les soirs, je m'enfermais dans cette chambre et j'écoutais la radio distraitement, étendue sur mon divan-lit. Je ne rêvais pas, ne lisais pas, n'écoutais pas non plus les émissions. Le temps s'était arrêté pour moi comme pour la rivière, l'hiver. Je dormais. Je n'attendais rien. L'univers aurait pu tout aussi bien s'écrouler, cela m'était égal.

Jean-Marie ne voulait plus me voir. «Tu ne dois plus venir ici, Josse. On est là à se regarder comme deux bêtes traquées; c'est insupportable. Tu es libre, toi, tu te rends compte? Si tu veux absolument faire quelque chose pour moi: vis! Je vais me débrouiller, crains pas. Louis a eu la meilleure part, je ne devrais pas dire ça, c'est idiot, mais n'importe comment, il n'était pas équipé pour vivre; alors, ne pleure pas sur lui, ne pleure pas sur moi. Va-t'en et tâche d'oublier. Tu es la plus chic grande sœur du monde, mais tu ne peux pas être mon amie, tu lis trop en moi, et puis tu as trop de peine. Je ne veux pas te haïr, Josse, alors, va-t'en.»

Les images défilaient dans ma tête et ne me troublaient plus. Je les regardais sans les voir, sans me sentir concernée. Un film peu convaincant. Je ne m'étais jamais tellement intéressée à moi-même mais là, si j'avais pu me fuir à toutes jambes, je l'aurais fait. J'étais une fille de sorcière et je porterais la poisse partout où j'irais. Alors, mieux valait rester là, sans bouger, attendant de l'immobilité qu'elle me libère de mon sort. Les dieux m'avaient damnée, c'était à eux de me tirer de là. Moi, je ne m'en mêlerais plus.

C'est là que j'ai rencontré Jacques. La radio était allumée chaque soir, mais je n'écoutais pas vraiment; ça chantait, ça parlait. C'était toujours la même voix qui parlait, qui disait n'importe quoi, et souvent un rire montait de tout ça, ou alors ça devenait nostalgique, tendre, mais jamais triste. Cette voix, c'était personne, c'est pourquoi je pouvais supporter sa présence.

Un soir, des phrases parvinrent jusqu'à moi; elles disaient quelque chose à propos de la tendresse, comme: l'humanité n'a pas sa part de tendresse parce que chaque humain s'imagine qu'il peut s'en passer, alors on a la violence et tout..., que chacun est responsable de la tendresse du monde, que l'avenir de la planète est directement lié au temps que chacun passe à être attentif à l'autre, bref un tas de sottises alternant avec des airs de jazz. J'ai éteint la radio. Les soirs suivants, j'étais consciente, en tournant le bouton de l'appareil, de partager mon espace avec quelqu'un. La voix s'occupait de moi, me divertissait ou m'ennuyait; ce qu'elle disait déterminait si j'allais passer une bonne ou une mauvaise soirée. Lorsqu'elle me parla de Durrell que je ne connaissais pas, je courus chez le libraire acheter *Le Quatuor d'Alexandrie*. Lorsque la voix me parla du dégel des arbres, je remarquai le lendemain les premiers bourgeons aux branches. Mais chaque fois qu'elle se mettait à parler d'amour, de tendresse, de rêve ou de bonheur, j'éteignais.

Peu à peu, la voix me devint nécessaire. Il s'était établi une réelle complicité entre nous, si bien qu'on aurait pu croire qu'elle ne parlait qu'à moi. Certains soirs, elle chuchotait presque; je tendais l'oreille pour la saisir.

Lorsqu'elle partait d'un grand rire, je riais aussi. C'était une voix bien en chair, colorée, riche en accents mélodiques variés. On lui pardonnait vite de parler par pur plaisir, sans avoir obligatoirement quelque chose à dire. De fait, oui, après quelques mois, je lui pardonnais beaucoup de choses. Trop, déjà. Je ne la forçais même plus à se taire quand elle abordait ses mondes de rêves; je fermais les yeux et me laissais conduire dans ces contrées étrangères qui ne manquaient pas aux lois de l'hospitalité.

Ainsi, progressivement, mon mode de vie se transforma. Après le travail, j'achetais de temps à autre du pain, du pâté, une bouteille de rouge et je fêtais «en tête à tête» avec la voix. Plus question de veiller en robe de chambre, étendue sur le lit, les yeux au plafond. Après le repas, je m'installais dans le fauteuil, je lisais distraitement le journal pendant les plages musicales et j'écoutais consciencieusement chacune des interventions, auxquelles je réagissais souvent à voix haute. Pendant une annonce publicitaire, je replaçais ma coiffure, retouchais mon rouge à lèvres, ajustais ma jupe, révisais ma posture. Quelqu'un me tenait compagnie et je tenais compte de cette présence.

Puis, je tentai d'imaginer la personne porteuse de la voix. L'homme devait être grand avec une cage thoracique impressionnante. Il n'était plus très jeune mais devait être blond aux yeux bleus à cause des longues digressions à propos de la tendresse et tout. Il était marié avec enfants puisqu'il s'inquiétait tellement de l'avenir de la planète; musclé, car il aimait le sport, quitte à m'ennuyer pendant un bon quart d'heure avec le résultat des matchs de hockey, de baseball ou autres; bronzé, puisqu'il parlait constamment de soleil. Le portrait, souvent retouché, remanié, défait, reconstruit, finit par ne pas me déplaire et je souhaitai rencontrer l'être qui visitait ma cage depuis bientôt deux ans.

J'appelai à la station.

— Bonjour, je m'appelle Josse. Je passe toutes mes soirées avec vous depuis plus d'un an et voilà, j'en ai

assez de vous inventer un visage, alors si vous le voulez
bien, on pourrait peut-être se rencontrer... Mais je ne
veux pas vous embêter. Pour moi, c'est une question
purement technique, vous comprenez: j'aimerais vous
avoir devant moi, vous regarder un moment, savoir qui
vous êtes... Vous m'écoutez?

  — Oui, je vous écoute, Josse. Excusez-moi, je suis
un peu surpris, je n'ai pas l'habitude...

  — Vous ne recevez jamais d'appel de vos auditrices?

  — Oui, oui, j'en reçois souvent, mais... une telle
franchise... vous êtes plutôt déconcertante, vous!

  — Comprenez-moi bien, je ne suis pas du tout certaine que vous allez me plaire; ce que vous racontez sur
les ondes est assez inégal question qualité, alors, je ne sais
pas, peut-être que je n'aurai rien à vous dire, peut-être
que vous ne m'intéresserez pas du tout, il ne faudra pas
m'en vouloir si...

Son rire jaillit aussitôt et chatouilla mon oreille
d'une manière déplaisante.

  — Vous me trouvez idiote... c'est que je n'ai pas tellement l'habitude de parler aux gens, je vis toute seule
et...

  — Écoutez, demain soir, j'ai congé; on pourrait
aller manger ensemble. Je connais un endroit agréable
avec piano bar...

  C'est un tout jeune homme qui est devant moi, une
tête d'enfant aux yeux clairs, aux cheveux bouclés, au
sourire posé sur la face comme une évidence. Il porte un
veston usé sur un chandail de coton et le pantalon semble
avoir dormi avec lui sous une forte épaisseur de couvertu-
res. J'admire son aisance et j'en profite pour me sentir
guindée dans ma jupe serrée et mes souliers pointus.
J'avais voulu faire comme il faut; il ne m'était évidemment pas venu à l'idée que «ma voix» put se présenter
devant moi chaussée d'espadrilles!

  De temps à autre, je ferme les yeux pour le souvenir
et je ne suis pas du tout certaine de lui préférer la réalité.
Qu'est-ce que je fais donc dans ce restaurant avec cet
enfant qui se donne des airs de grande personne? Il me

parle longuement de lui, de sa vie, comme s'il en était au terme, avec humour et nostalgie. Il a roulé sa bosse, traversé le pays en tous sens, aimé toutes les femmes qu'il a croisées; il veut connaître le monde, l'Europe, l'Asie et tout, il ne fait que passer, il fait des provisions d'odeurs, de sourires, de tendresse, il est présent à tout mais déjà ailleurs: le héros français fin XIXe!

Brusquement, j'ai besoin de lui dire: «Au fond, même en congé, tu ne chômes pas.

— Que veux-tu dire?

— Que j'ai droit en ce moment à une petite émission particulière. J'ai tout à fait l'impression d'être un microphone. C'est fou ce que tu aimes parler, toi!

Son rire dénote aussitôt une totale absence de vanité.

Moi, j'ai peu à dire. Je dors ma vie depuis des mois, je ne lis plus, je n'attends rien, je vais, je viens, de ma chambre à l'hôtel, c'est tout. Il veut savoir. Je parle de ce que je vois tous les jours, de la ville, de l'usine qui menace de fermer ses portes, de la peur au ventre des gens, de la rivière à laquelle tous tournent le dos. Je n'ai pas de passé. Je suis là, je regarde. Je ne sais rien.

Jacques jubile. Cette rivière, il la connaît bien, c'est la sienne. Il est né et a passé son enfance à Ville-Marie, au bord du lac Témiscamingue où notre rivière prend sa source. Un été, il est descendu en canot de la pointe nord de l'Abitibi jusqu'à Montréal: «La force de l'eau, Josse, on n'imagine pas à quel point l'eau c'est la vie, la folie, l'amour.» Nous décidons d'aller marcher.

Et je l'écoute me parler de la rivière, de sa rivière qu'il a visitée de l'embouchure au confluent, dont il connaît chaque sinuosité, chaque caprice inscrit dans les courbes de son corps de géante et je sens bouger dans mon ventre les notes d'un chant que je croyais perdu. Lorsqu'il m'invite chez lui, je ne résiste pas. La nuit descend sur nos corps et nos rires et j'imagine qu'il m'arrive enfin quelque chose, qu'il m'arrive un sexe, que la joie a trouvé la porte de mon être. Et le jeune homme se laisse guider vers les grands fonds et découvre des contrées que

la rivière lui avait cachées, des remous insoupçonnés, des
algues nouvelles, des sables d'or dont la mouvance apaise
sa soif de jeune loup. Cette nuit-là, Jacques devint mon
port, ma faim, ma vie. Il était le mage qui ressuscite les
chants perdus. Mais j'ignorais encore que ce jeune loup
allait m'ouvrir le cœur pour se repaître de mon sang.
Avec Jacques, je retrouvais mes frères cadets. Le rire,
l'élan, la fureur de vivre de Jean-Marie; la tendresse, le
rêve, la nostalgie de Louis. Le jeu, l'imaginaire, la musique. Il entrait en riant, avalait goulûment le repas que je
lui avais préparé, parlait, parlait, parlait, puis repartait à
la course vers celles qui l'attendaient, car il aimait à la
chaîne, sans s'arrêter, comme une agence secours pressée
de répondre à tous les appels. Quand il dormait chez moi,
je passais toute la nuit éveillée à le regarder dormir. Chaque minute de sa présence m'était une fête. Comme j'ai
aimé cette tête bouclée qui bougeait sur l'oreiller au fil
des rêves!

Lorsqu'il s'éveillait, il me parlait des femmes qu'il
aimait avec la cruauté et l'innocence de ses vingt ans: «Tu
sais, Josse, moi je passe; il ne faut pas chercher à m'atta-
cher.» Je promettais en ravalant mes larmes, en souhai-
tant néanmoins que les cartes s'embrouillent et fassent
mentir un destin aussi impitoyablement inscrit dans un
cerveau d'enfant buté. Et quand il repartait, le rêve s'installait à sa place et habitait ma cage. Au fil des mois, le
rêve avait grandi et je ne demandais plus à Jacques que de
taire les paroles qui eussent pu lui porter atteinte.

Jacques m'était absolument tout.Il jouait dans ma
vie le même rôle qu'avaient joué les livres: l'enchante-
ment. Il créait le soleil, les fleurs, la joie. Avec lui, j'avais
faim, je chaussais mes espadrilles pour marcher sur des
chemins de terre et de lumière, je croyais au sourire des
enfants. Je m'inventais un espoir. Je corrigeais mes seize
ans gaspillés à laver les corridors du presbytère. J'oubliais le sourire béat de ma mère empêtrée dans sa graisse
et le chant lancinant de sa démence. Je ressuscitais Louis.
J'offrais à Jean-Marie une clé d'or qui lui ouvrait les portes du monde. Je vivais. Je sentais l'énergie couler en

moi. Jacques triomphait de ma nuit et de mes cauchemars. Je remettais ma vie entre ses mains et j'assistais,
muette, à sa transmutation. Jacques me tendait les bras et
me disait: «Viens, Josse, regarde la beauté du monde.»
Moi, je ne voyais que lui, que ses yeux qui contenaient
cette beauté du monde et j'ai voulu le prendre, l'enfermer
avec moi dans mon trou à jamais. Il s'est sauvé, le salaud!

Il est resté six mois. Un matin, il est parti sans un
mot. Il m'écrivit d'Allemagne des lettres dignes du Natio-
nal Geographic, auxquelles je répondis dans toute l'ardeur de ma passion. Il reviendrait. Il fallait qu'il
revienne. Je ne vivais plus que pour le moment où il entre-
rait dans mon trou comme avant, où son rire habiterait à
jamais la cage de mon silence. Il n'est pas revenu.

En attendant son retour, j'avais repris le chemin de
l'école et j'avais décroché mon diplôme de douzième
année. Puis, un certificat de secrétaire. J'avais appris des
trucs; je ne comprenais pas le principe de la règle de trois
mais je l'appliquais rigoureusement; la chimie me masquait ses secrets mais j'en savais les formules par cœur; la
fidélité de ma mémoire suppléait aux signes sténographi-
ques qui ne m'amusaient pas, bref, j'avais une forma-
tion. Je deviendrais secrétaire.

Plusieurs années plus tard, j'apprends que Jacques
vit à Montréal. Je quitte l'Outaouais et j'accours vers lui.
Des retrouvailles glaciales suivies d'une rupture qu'il
veut définitive. Pourquoi? Je pleure, je crie, j'insiste.
Sans sourciller, il me renvoie à mon rêve. À la radio, le
soir, il parle toujours de soleil et de vent. Moi, j'en suis
exclue. Puis, je n'entendis plus sa voix à la radio. Je fer-
mai à jamais la porte de mon antre. Personne, désormais,
ne viendrait me parler de lumière et de fleurs. Mais je
retrouverais Jacques, où qu'il soit, pour lui cracher au
visage la haine qui se nourrit de mon sang comme un can-
cer sournois.

Là, il faut que je remonte un peu à la surface, j'ai besoin d'air. Depuis trois semaines, depuis le soir où je t'ai rencontrée avec Jacques, dentelle, étreinte, Bleue et tout, c'est comme une avalanche en moi. Comme une plongée vertigineuse jusqu'au noyau de mon être. Je croyais t'avoir laissée derrière, toi et l'immense béatitude de ton existence, Jacques et son écriveuse de poèmes sur les saveurs occultes de la vie, votre couple en carton-pâte vêtu de soieries, votre cirque, mais j'ignorais la force de *Bleue,* le petit manuscrit que tu avais fourré dans mon sac, mine de rien, au moment de nous quitter.

Et j'ai lu et relu chaque phrase de *Bleue,* et je m'en suis soûlée pour le plaisir de sentir le poison occuper dans mes veines l'espace de mon sang. Car les propos de cette enfant restaient pour moi la chose la plus désagréable au monde. Ce livre encore informe m'agressait dans les replis cachés de mon être; il débusquait l'angoisse qui s'y logeait, il avivait ma peur, se moquait de mon cri; il prolongeait jusque dans mon réduit l'étreinte brûlante à laquelle je n'avais pu échapper le soir de cette rencontre maudite; il soutenait sans la moindre décence le regard obèse que tu avais posé sur moi, narguant dans l'apparente innocence de son sourire, le gouffre de haine qui m'habitait. Bleue m'entraînait dans les remous déments de ma rivière, sans reculer devant les monstres qui surgissaient de la vase mêlée aux algues enlacées pour une danse d'horreur dans une nuit sans fond. D'où lui venait donc cette force et cette cruauté?

Bleue avait eu un ventre qui l'avait accueillie, nourrie, bercée, puis versée dans un espace à la mesure de ses désirs et de sa curiosité: la maison qui s'ouvrait sur un parc gorgé de soleil, de mystères et de vie. Elle aurait une école, une ville, un univers à découvrir et jamais l'extérieur ne serait vécu comme menaçant pour elle; rien ne viendrait perturber la certitude profonde exprimée dès les premières semaines de sa vie utérine: «Bonjour, je m'appelle Bleue.»

Aucune violence, aucune angoisse; une quiétude infinie. Et pourtant chaque objet, chaque être, chaque humain serait questionné par elle sur sa raison de vivre et son plaisir d'exister. Bleue serait à jamais le point noyau de son propre univers. Tout pourrait être remis en question, démonté, désarticulé, tout, sauf cette conviction originelle qui soutient l'acuité de son regard: Bonjour, je m'appelle Bleue. Ce n'est pas le prince charmant avec princesse, château, et tout, mais ce n'est pas la réalité non plus. Et je connais les pièges de l'imaginaire.

Alors j'ai besoin de crier que moi je n'ai connu de ventre qu'un dépotoir gluant occupé à digérer ses montagnes de frites noyées de cola; de maison, qu'un taudis cauchemardesque tendu comme une toile piégée pour assouvir la voracité d'une araignée géante; que je n'ai eu ni école, ni ville, ni univers; que mon espace, depuis le ventre, n'a fait que rétrécir au point qu'il n'est plus aujourd'hui que l'écaille d'une huître qui n'a ni bouche, ni sexe, ni regard; et que, par conséquent, jamais je ne pourrai affirmer avec certitude: je m'appelle Josse.

Et pourtant... Bleue m'appelle comme une évidence lovée dans le nœud de mon cri; et je reconnais dans son rire le rire de ma rivière aux premiers jours d'avril; et je sais que son chant est fragile; et j'ai besoin de ses yeux pour soutenir le regard de mes monstres et j'ai peur, j'ai peur que sa lumière ne déchire mon écorce et n'avale mon cri.

Car Bleue ne recule pas. Au début, elle n'était qu'une petite pensée recouverte d'une enveloppe fragile de même nature que le monde qu'elle venait de désirer. Mais progressivement, elle se transforme; l'espace qu'elle a choisi devient elle et elle occupe de plus en plus d'espace et le mouvement est irréversible. Bleue est entrée en moi par un orifice inconnu de moi. Lorsque tout l'espace sera devenu Bleue, qu'adviendra-t-il de moi?

La question se pose car je sens Bleue en moi. Je la sens chercher le fond de mes eaux pour inscrire son visage sur mes sables mouvants. Qu'est-ce qu'elle me veut, au juste? Je la hais. Je l'envie. Je la cherche. Elle me trouve. Drôle de cirque! Quand, par extraordinaire, il m'arrive de dormir, elle est encore là, elle habite mes rêves, me parle, me raconte de la vie une face qui n'existe pas. Et j'écoute. Et je m'ouvre. Et je cherche le chemin de son extase. A-t-elle connu Jacques? A-t-elle déjà eu mal? Sait-elle que la vie ment? N'est-elle pas elle-même le mensonge de la vie?

Une nuit, j'ai rêvé. J'étais venue à une assemblée syndicale dans un hôtel luxueux et je me dirigeais vers la salle réservée pour la réunion. En passant devant la piscine, je ne peux pas résister; je décide de laisser mes robots pérorer entre eux, j'enfile mon maillot et je plonge. Moi qui flotte normalement comme une roche, je nage et prends plaisir au contact de l'eau sur mon corps.

Mais voilà que je découvre, en remontant à la surface, que la piscine est déjà occupée par une vingtaine de bébés rassemblés là pour un cours de natation. L'un d'eux attire mon attention: son corps, beaucoup plus long que celui des autres, est absolument transparent et laisse voir qu'il n'a comme organe qu'un cœur démesurément grand qui bat à un rythme ralenti. Cet enfant ne cesse de vomir.

Je m'approche prudemment. L'enfant me tend aussitôt les bras. Je le prends avec moi et nous jouons ensemble. En sortant de l'eau, je vois deux femmes obèses assises au bord de la piscine, le corps mou, les jambes ouvertes, le visage enflé. L'une d'elles me dit: «Ah! vous êtes la monitrice.» Je continue de m'assécher sans répondre. L'autre, de la même voix geignarde, poursuit: «Vous avez remarqué? Tout le temps qu'elle a joué avec vous, Bleue n'a pas vomi une seule fois.» Ces drôlesses m'agacent à la fin. Avant de sortir, je leur lance: «Cessez donc de lui donner des cochonneries à manger, aussi! Vous imaginez peut-être que tout le monde n'est qu'une poche de tripes comme vous?» Et je sors.

Puis je reviens à la piscine, c'est le lendemain. Les enfants sont là. Je plonge et retrouve Bleue. Elle a extraordinairement grandi. Elle a toujours son visage de bébé presque mangé par ses grands yeux noirs. Elle me sourit et nous jouons, comme on avait fait la veille. Lors-

que je la prends sur mon dos pour nager, je note un phénomène étrange. Cette enfant n'a pas de poids, je ne la
sens absolument pas sur mon dos.

Tout à coup, je sors de mon corps et je flotte
au-dessus de la pièce; c'est amusant, je nous vois, l'enfant et moi, nageant dans la piscine. Un groupe de personnes vient vers moi et m'encercle. Ces personnes sem-
blent de la même race que Bleue: corps translucide, elles
flottent comme moi au-dessus du sol. Quelqu'un me dit:
«L'enfant est en danger ici. Tu vas la prendre avec toi et
la cacher; c'est une question de survie.» En me voyant
hésiter, on me dit encore: «Tu n'as pas le choix.» Alors je
sens les bras de Bleue serrer mon cou comme pour
m'étrangler. Je réponds aussitôt: «Et si je choisissais de
plonger, laquelle des deux s'en sortirait à votre avis?»

Au réveil, j'avais le visage mouillé de larmes et je
tremblais de rage. J'avais eu peur pour Bleue.

Le livre de Bleue

C'est le jour de mon école. Un grand jour, avec des couleurs aux arbres et aux trottoirs. Un jour à ciel ouvert, comme on en voit de temps à autre quand la joie nous ouvre les yeux et la peau.

On m'a longuement expliqué la magie de l'école. «Tu es là, sagement muette, et on te dit tout. Tout ce que tu veux savoir. Absolument tout. Ce qui fait qu'au sortir de l'école, tu pourras te promener dans la vie sans embêter les gens.» Est-ce possible qu'on me dise enfin tout? C'est difficile à croire! Mais devant chacun de mes arguments, on est catégorique: à l'école, on t'expliquera.

Voici enfin le temps, le temps de mon école. Dans ma tête, c'est propre, un ménage frais fait. Toutes mes questions sont soigneusement classées et attendent, fébriles, le moment de leur mise au jour. En trottinant sous ma jupe flambant neuve, mes jambes frémissent au plaisir du vent sur la peau et je pense: on me dira le vent, et le froid, et l'automne. Oui, on me dira tout.

C'est une grande maison avec des allées toutes droites qui ouvrent sur des placards plus logeables que nature. Un drôle de parc sans ciel et sans oiseaux, bordé de murs très hauts, jaunâtres, d'où émane une *odeur rance. Un bruit strident secoue mon corps de fond en comble.*

Une dame s'est approchée de moi, drapée de noir, avec des cheveux en linge, comme la robe. Je sursaute, évidemment. Une main sort subrepticement de la montagne de tissus et me dirige vers l'une des trente-deux petites tables. «C'est ton espace, Bleue. Tu t'assois sagement et tu attends.»

Autour de moi, des enfants rient, des enfants pleurent. D'autres encore fixent, immobiles, une portion de mur peinte en noir. Des signes y sont tracés. On nous apprendra les signes.

La dame se tient devant nous, le corps droit, la tête haute. Elle est grande. C'est normal: elle sait. Je ne vois pas encore si elle est belle. Elle dit: mes enfants... et autre chose encore que je ne comprends pas. Elle parle de ce lieu où nous sommes; il semble qu'il y réside un grand mystère. Puis, elle nous livre le mot de passe: silence. Je ne sais pas jouer avec le mot de passe. J'apprendrai.

D'abord, on trace des signes dans le cahier et les signes représentent des mots. C'est très joli. On peut dire des choses à une feuille de papier, il suffit de lui dessiner les bons signes. Quand on se trompe, la page n'a pas son étoile.

Le livre est rempli de mots. Le jeu consiste à prendre les mots du livre et à les cacher dans sa tête jusqu'à ce que la dame en ait besoin. Tout à coup, elle dit: «Bleue, les missionnaires sont venus au Canada pour évangéliser les...» Là, il s'agit de trouver le mot qui lui fera le plus plaisir.

Dans ma tête, évidemment, des dizaines de mots se bousculent pour entrer dans le jeu. Des mots nouveaux et pleins de musique comme: INTENDANT, BOULEAU, CABANE, MARTYR, BOUSSOLE, EAU-DE-VIE, INDIGÈNE, FRIMAS, ESCARPEMENT... Comment choi-

sir? Car il est évident que la dame privilégie l'un d'eux à l'exclusion de tous les autres. Pourquoi?

FRIMAS se dépose doucement sur les mains des arbres; CABANE a l'odeur d'une bûche de Noël dans le foyer de grand-mère; MARTYR ressemble à la porte rouge de la maison de la voisine; BOULEAU regarde son image qui s'étire à l'infini dans le miroir du lac; BOUS-SOLE est perdu quelque part sur un tapis de mousse; la perruque de l'INTENDANT est tombée dans la barrique d'EAU-DE-VIE, tout le monde rit beaucoup sauf l'intendant qui est très fâché et alors les... indi...

— Alors, Bleue, vous sortez de la lune?
— ...les indigènes...

Les mots s'enroulent les uns aux autres au fil des jours. Ils entrent dans ma tête, y font le tour un moment, puis ils se sauvent avant que j'aie pu les retenir. J'aimerais jouer un peu avec eux mais la dame les réclame; alors, il faut les laisser filer.

La dame parle très fort. Elle nous raconte des tas d'histoires. À la fin, elle se lasse et se met à poser des questions. Je tente de répondre aimablement à ses questions; ainsi, l'école lui apprend beaucoup. Mais elle ne semble pas toujours satisfaite de ce qu'elle y apprend. Il advient même qu'elle se fâche: c'est un spectacle affligeant.

Quand il m'arrive, en revanche, de lui poser une question, elle refuse obstinément de répondre. Elle pince les lèvres sévèrement et me reproche d'oublier le mot de passe. Je ne l'oublie pas, au contraire, il prend toute la place dans ma tête. Comment apprendre ce que je veux savoir en surveillant constamment le mot de passe?

On a appris un nouveau jeu qui se déroule à la cha-pelle. L'une derrière l'autre, nous avançons, les yeux baissés et les mains jointes, jusqu'à la balustrade. Derrière, un homme vêtu comme la dame d'une longue robe noire nous attend. Il nous remet une mince pièce de carton comestible que nous devons avaler sans la croquer. Puis, à petits pas, nous revenons à nos bancs sans lever nos yeux de nos ventres puisque Dieu vient d'y entrer. En chœur, nous lui offrons des mots pleins de musique.

C'est curieux que Dieu prenne des moyens aussi compliqués pour venir me voir. Moi, si je lui rendais visite, je ne le forcerais pas à m'avaler sous forme de sable, de roche ou de brique. On ferait ça simplement, sans cérémonie.

Le matin, quand le soleil s'étire sur nos crayons, la dame regarde l'horloge et dit: «Mes enfants, voici la récréation.» Une bouffée de chaleur caresse alors nos visages et nous sortons avec fracas pour retrouver, derrière la porte, nos rires et nos ballons.

En pénétrant dans la cour, nous lâchons le silence qui se sauve aussitôt par-dessus la clôture de fer et nous rejoignons les centaines de petites filles qui colorent déjà le carré d'asphalte de taches miroitant dans tous les sens. Dans un coin, comme une coulée d'encre, sept dames en noir veillent sur le temps de nos jeux.

Au son de la cloche, le silence revient discrètement se poser sur nos rangs. Quand il hésite à revenir, la dame se fâche et prononce son nom très haut, comme une menace. Alors, il se range avec nous en courbant la tête.

La dame raconte une histoire. Une femme juive s'est vue un jour dans l'obligation d'accoucher dans une crèche. Son mari avait visiblement oublié de s'informer de son état de santé avant d'entreprendre une longue route à dos d'âne. Le but du voyage: assister à une gigantesque tombola au cours de laquelle les participants signeraient le livre d'or de leur ville natale.

Toujours est-il que, les secousses de la bête aidant, la femme sent venir le moment d'accoucher. Évidemment, en temps de carnaval, les hôtels sont bondés. Le couple déniche alors une gentille petite grotte, déjà occupée par un bœuf qui ne fait pas d'histoire puisqu'il s'entend assez bien avec l'âne de la famille. Tout se passe bien et un groupe de bergers, probablement alerté par les cris de la femme, vient fêter avec la petite famille et lui apprend, pour l'occasion, plein d'airs de Noël qu'elle ne connaissait pas.

Moi je connais une histoire, moins jolie il est vrai, que j'ai entendue dans ma rue. Une voisine, à qui on avait refusé l'entrée à l'hôpital dans la journée, a accouché d'un enfant mort dans un taxi, la veille de Noël, et alors tout le monde a pleuré, et...

— Bleue! me crie la dame exaspérée, SILENCE.

La dame m'a posé une question embêtante:

«Bleue, si dix pommes coûtent un dollar, combien paieras-tu une pomme?»

J'ai longuement réfléchi. Évidemment, cela dépend où je me trouve au moment où j'ai envie de manger une pomme. Si je suis en visite chez ma grand-mère, je ne la paierai pas; grand-mère est vieille, elle est gentille, elle m'oblige même à manger des pommes quand je n'en ai pas envie.

Par contre, si je suis en voyage au Pôle Nord, c'est une autre histoire. Les pommes ne poussent pas dans la neige. Il faudra que j'appelle maman pour lui dire de m'envoyer une pomme par avion. L'interurbain coûtera 27,40 $ et le billet 240 $. Ce n'est pas tout. Pour me rendre de l'igloo à l'aéroport, je devrai me munir d'un traîneau tiré par des chiens. Le traîneau: 75 $; Cinq chiens à 150 $: 750 $. Il faudra peut-être quatre jours pour effectuer l'aller-retour. Mes dépenses, disons 25 $ par jour: 100 $. Les dépenses des chiens: deux kilos de poisson par jour, quatre jours, cinq chiens: 40 kilos à 59 cents donnent 23,60 $. Bon. J'engage un guide pour conduire le traîneau; il me propose un prix fixe: 35 $ par jour, donc 140 $. En arrivant à l'aéroport, diverses petites dépen-

ses se présenteront: le stationnement, 1,80 $; je pren-drai une boisson gazeuse en attendant l'avion, 1,25 $. L'avion arrive. Je paierai le porteur 3,65 $. Ça va comme ça.

Je récapitule: le téléphone, le billet, le traîneau, les chiens, mes dépenses, celles des chiens, le chauffeur, le stationnement, la boisson gazeuse, le porteur... je paierai la pomme 1,362,70 $.

— Voyons, Bleue, je t'ai posé une question; tu as la réponse?

Je sens confusément que le chiffre pourrait la vexer. Je risque timidement:

— Je ne sais pas si...
— Ce soir, tu écriras dans ton cahier cent fois cette phrase: JE TRAVAILLERAI EN CLASSE.

Plus la neige tombe, plus l'école s'éloigne de la maison. Mes pieds tracent de longs sillons bouclés sur le ventre du parc. Je me soucie peu d'avancer. Le froid m'enivre d'une paix troublante et je prolongerais cette marche à l'infini.

Quelquefois, je m'arrête pour observer le jeu des flocons qui se posent délicatement après leur lent tour-billon dans l'espace. J'en choisis un qui vient vers moi et lui tends ma mitaine. Il hésite un peu, pour m'intri-guer et vient finalement s'installer sur mon pouce, avant de disparaître en souriant.

S'il s'était posé sur le sol, il aurait peut-être eu le temps de voir passer toute la saison d'hiver. Et nos jeux. Et la nervosité des passants pressés. Et le cri pointu des moineaux qui s'obstinent à narguer le froid. En mars, le soleil l'aurait bu. Aujourd'hui, c'est ma mitaine.

En arrivant dans la cour, Pierrette m'a prise par le bras et m'a dit:

— *Écoute, je vais te confier un secret. Tu ne devras répéter à personne ce que je vais te dire, c'est promis?*
— *Promis.*

D'un lent regard circulaire, elle s'assure que personne ne peut nous entendre et tout bas, plongeant ses yeux dans les miens, elle murmure:

— *Je suis une femme.*
— *Oh!*
— *Depuis dimanche.*
— *Ah!...*
— *Alors, on ne t'a rien dit à toi?*
— *Non.*
— *Rien? Même pas que...*
— *Rien du tout.*
— *Ma pauvre enfant. Quel âge as-tu?*
— *Dix ans et demi.*
— *Ah oui, je vois. Moi, tu comprends, j'aurai douze ans dans un mois.*
— *Ah bon.*
— *Ma sœur Ginette qui a quinze ans m'a expliqué les mystères de la vie.*
— *Tu es bien chanceuse.*
— *Tu veux que je te dise? Bon. Alors, pour commencer, il faut devenir une femme. Toi, tu es trop petite.*
— *Ah oui? Pourquoi?*
— *Écoute, ne m'interromps pas continuellement, je vais perdre le fil. Tu sais au moins comment on devient une femme?*
— *Non.*
— *Eh bien! on saigne.*
— *On saigne?*
— *Oui.*
— *C'est tout?*
— *Mais non, c'est alors que tout arrive, tu comprends? On a des seins, du rouge à lèvres, des souliers à talons hauts, et alors on devient très belle et un jour...*

Comme la foudre, le cri métallique s'abat sur notre conversation.

— *Continue Pierrette, je t'en prie, un jour...*
— *Eh bien! on a des enfants, me glisse-t-elle dans l'oreille avant d'être avalée par l'épaisse porte verte.*

Appuyée au mur de brique, je réfléchis aux mystères de la vie. Pourquoi faut-il se blesser et porter des
talons hauts pour avoir des enfants?

Denis est très grand, c'est le plus grand garçon de
ma rue. Depuis quelque temps, il ne joue plus avec
nous. Le soir, il passe devant nous sans nous voir, la
tête haute. Il traverse le parc sans se retourner et dispa-
raît dans l'autobus qui le conduit jusqu'au bout de la
ville.

— C'est l'amour, me confie André en fixant son
lacet de soulier.

— L'amour?

— Oui. Quand on aime une fille, on va la retrouver
jusqu'au bout de la ville.

— Pourquoi?

— C'est comme ça depuis toujours. Mes frères ont
tous aimé des filles qui habitaient loin de la maison. Je
ferai comme eux. D'ailleurs, tu me vois dire à Esther: tu
as de beaux yeux? J'aurais l'air ridicule.

— Ah!... Ce n'est pas ridicule de dire tu as de beaux
yeux à une fille que tu ne connais pas?

— Mais non, justement: c'est ça, l'amour.

En rejoignant les autres, une étrange impression
s'est infiltrée en moi. Quel est donc cet amour qui ava-
lera un à un les garçons de ma rue pour les mener au
bout de la ville?

Jacques était parti vite mais son absence me permettait, du moins, de le reconstituer dans ma tête. Je revivais en pensée nos pique-niques au lac Rose, nos longues nuits à sillonner des routes interminables, nos rires, nos folies, nos discussions au bord de la rivière où, étendus dans l'herbe, nous tentions désespérément de refaire le monde. Je conservais de lui le souvenir d'une tendresse enfantine, à fleur de peau, une qualité de présence, de concentration dans l'étreinte, la joie totale inscrite dans son corps, le sourire inquiet, la peur panique de vieillir, le besoin de savourer jusqu'à l'ivresse chaque moment de vie. Je me plaisais à imaginer que Jacques, sans moi, perdait son charme, son pouvoir sur la vie, la force tranquille de son sourire. J'oubliais systématiquement nos soupers ratés, mes soirées à pleurer pendant que le traître allait aimer une femme croisée sur le trottoir en après-midi ou une charmante auditrice vaguement délaissée par un mari distrait. J'oubliais que je n'étais pas, n'avais jamais été au centre de la vie de Jacques, que le temps passé avec moi n'avait pour mon amant que l'importance d'un moment pleinement vécu. Je ne gardais de lui que le magnifique regard vert qui recouvrait ma vie comme un ballon, la soulageait de son poids, lui permettait de s'envoler au bout de sa folie. Je rêvais de lui, je l'inventais, j'enrichissais son image de mon désir. Après cinq ans d'absence, ma passion était intacte.

Dans ses lettres, il décrivait longuement les arbres de la Forêt Noire, les pays minuscules qu'il visitait dans ses temps libres, la neige dans les Alpes, la bière et la musique; il parlait en général, comme une agence de voyage, au point qu'il m'arrivait de vérifier l'en-tête de sa lettre pour m'assurer qu'il s'adressait bien à moi. Quelques noms de femmes évoqués ici ou là se glissaient dans le tiroir de ses nostalgies. Ses photos m'indiquaient qu'il ne

changeait pas, mangeait à sa faim, ne souffrait aucune-
ment de l'exil. En post-scriptum, il s'informait de moi,
un peu comme l'oncle éloigné qui ne se souvient plus très
bien s'il s'adresse à Nicole, ou à Suzanne, ou à Louise et
qui se demande distraitement à quoi sa nièce peut bien
ressembler. Je ne m'attardais pas à ces erreurs, les met-
tant sur le compte de l'éloignement; quand, par ailleurs,
un mot tendre était échappé, je le laissais jouer dans ma
tête pendant des semaines jusqu'à épuisement de toute
signification.

Jacques ne me manquait pas, au contraire; son
image se nourrissait de l'absence et atteignait après cinq
ans une force prête à déjouer n'importe quelle réalité. Il
me suivait partout, au travail, dans mes études, dans mes
courses et même dans le lit de quelque amant aux cheveux
bouclés et au regard vert auprès duquel mon corps cherchait à se souvenir du sien. Au cours de la semaine, j'accumulais des images, des sensations, des joies furtives et
je consacrais tous mes week-ends à la rédaction d'une lettre à l'être aimé, dans laquelle chaque émotion, chaque
goutte de soleil était amoureusement dessinée et offerte.
Je ne parlais jamais de son retour; j'insistais sur ma joie
de le connaître et chaque phrase était un hommage. Je ne
me lassais pas de remercier ce garçon d'exister.

Un soir, à l'hôtel, un copain de la radio me dit:

— Jacques est rentré au pays, tu le savais?
— Quoi? Où est-il?
— Je l'ai rencontré à Montréal, la semaine dernière;
il a une émission là-bas.

Mon sang tournait trop vite, trop fort; j'aurais dû
réfléchir, je sais, mais j'en étais incapable, mes pensées se
précipitaient dans tous les sens. Je quittai mon emploi,
remis la clé de ma chambre, rassemblai tant bien que mal
dans un sac de voyage tout ce que je possédais et, avec
cinq cents dollars d'économie, je pris l'autobus pour
Montréal. Pendant le voyage, je serrais au fond de ma

poche le numéro de téléphone de Jacques, plus précieux que toute ma fortune contenue dans mon sac à main. Je ne réfléchissais pas, je volais vers lui. Il était ma vie, mon souffle, mon sang. Je ne pouvais tout simplement pas me permettre de douter. Il serait là puisque je venais vers lui.

Je m'installai à l'hôtel le plus proche du terminus, déposai ma valise sur le lit et composai aussitôt le numéro. Il était en ondes et viendrait me retrouver au bar de l'hôtel après le travail. Sa voix était blanche mais avec ces fichus appareils, comment savoir? Dans quelques heures, je pourrais y voir clair. En attendant, je visitai les boutiques au sous-sol, j'achetai une robe, des souliers, je me fis couper les cheveux. L'image de la nouvelle Josse reflétée dans la glace me plut. Je descendis au bar.

Jacques arriva en complet et cravate, la mine lugubre d'un porteur de bière. Je me levai aussitôt et me jetai dans ses bras. Il repoussa froidement mon étreinte: «Voyons, Josse, les gens nous regardent.» J'étais sidérée. J'avais vécu cinq ans pour cette étreinte. Cinq ans pour me noyer dans le rire de son regard. Pour la joie, le délire de nos retrouvailles. Non, je devais me tromper; Jacques était intimidé, sans doute, il manquait d'assurance, il était nerveux, je ne sais pas.

Je tremblais. J'avais tant à lui dire et mes mots se butaient au mur de son regard. Il n'entendait pas. Je questionnais; il répondait évasivement comme un politicien habile. Je le regardais intensément, je cherchais; non, ce n'était pas Jacques, cet homme avait le corps de Jacques, ses traits, oui, ses cheveux, mais ce n'était pas lui, c'était quelqu'un d'autre, un étranger avait volé le corps de mon amour pour s'installer devant moi, à sa place...

— Josse, attends-moi une minute, tu veux? Un coup de téléphone à passer et je reviens. Ne bouge pas, surtout, je reviens.

J'ai essayé de me lever, je te jure, Micheline, que j'ai essayé de me lever, mon corps refusait de m'obéir et restait rivé au fauteuil comme un timbre sur une carte postale. J'avais honte, j'avais peur, j'avais mal, je voulais m'effondrer, non, je voulais crier, non, je voulais m'enfuir, oui, m'enfuir au bout du monde, courir, courir, ne plus jamais cesser de courir... et...

Jacques a pris mon bras: «Viens, tu ne vas pas rester dans cet hôtel, tu vas t'installer à la maison le temps de trouver un logement. Je t'avoue que ça m'embête un peu. Il y a Hélène, nous nous connaissons depuis deux mois, je l'aime, je suis coincé...» Je ne l'écoutais pas, je me laissais conduire au bûcher comme une automate. Je reconnaissais dans le ton de sa voix la panique de Louis, le matin du drame. Il parlait, parlait, non, je n'écoutais plus. J'étais absente de mon corps et mon esprit cherchait confusément un bout de nuage moelleux où poser sa souffrance.

Hélène s'est levée, elle a fait du café; ils m'ont installée sur le divan du salon et sont allés dormir tous les deux. Au bout d'un quart d'heure, Jacques ronflait à fendre l'air. C'est à cette minute précise que j'ai commencé à le haïr.

Cette nuit-là, je ne dormis pas. Je bus tranquillement pour me détendre les onze bières alignées dans la porte du réfrigérateur; je ne me détendis pas. Les images s'emparaient de moi et j'étais incapable d'y trouver le moindre fil conducteur. Je voyais brusquement ma mère sur sa chaise berçante qui me regardait droit dans les yeux et m'ouvrait le cœur de son rire démoniaque. Elle a gagné! La folle a gagné, elle m'a mangé le cœur, et je hais, je hais, je hais! La haine est entrée en moi et rien ne pourra désormais l'en déloger. Je voyais Louis, effondré, qui me criait: «Josse, aide-moi.» Et j'entendais: «Josse, venge-moi! Venge-nous!» Et Jean-Marie: «Va-t'en, Josse, je ne veux pas te haïr.» C'était la débâcle. Qui est Josse? Où suis-je? J'étais la rivière en furie, la rivière indomptée qui ouvre ses eaux au cri et devient fleuve et torrent et déluge! J'étais l'œil d'un ouragan géant et je traînerais dans la boue et le sang toute trace de vie humaine oubliée sur cette foutue planète!

Pendant cinq ans, je n'avais rien fait d'autre que nourrir un rêve de prince charmant sur la chaise berçante de mon imaginaire et voilà que, au moment de s'incarner, mon amour m'échappait pour un ailleurs dont j'étais exclue. J'étais damnée, rien à faire. Un pacte infernal avait été signé dès avant ma conception et j'étais bannie de toute éternité. J'avais eu tort de vibrer au chant de mon jeune dieu. J'avais cru à la beauté du monde contenue dans sa voix et sa voix mentait, mentait, mentait. Et son silence me renvoyait à l'interminable cauchemar du taudis de mon enfance qui avait toutes les raisons du monde de tourner le dos à la rivière. Et je revis le visage noyé de mon père et, derrière ses paupières enflées, l'appel de la mort comme une évidence... la mort blanche et paisible... NON!!! Vous ne m'aurez pas! Je vivrai jusqu'au bout de mon cri! Je m'appelle Josse et j'inscrirai mon nom en lettres de sang dans les entrailles pourries de votre planète maudite! Je vous aurai tous, vous m'entendez? Tous, jusqu'au dernier! Je vous crèverai les yeux et vous connaîtrez le noir de la nuit opaque et vous vous traînerez à mes pieds et vous me supplierez «JOSSE! JOSSE! JOSSE!» Et je serai sourde à vos cris et je vous cracherai mon rire à la face et vous me supplierez, oui, mais je n'entendrai pas car mon rire vous aura avalés, tous, jusqu'au dernier!

La lumière a surgi brusquement, dévoilant la pièce transformée en champ de bataille. Hélène et Jacques sont debout dans l'entrée et je vois l'horreur dans leur visage. Je voudrais dire quelque chose, mais les mots restent collés au fond de ma gorge. Nous nous considérons longuement comme des bêtes prêtes à sauter dans la mêlée; la peur s'est emparée de nous. Jacques, finalement, rompt le silence. «Habille-toi, Josse, on va aller marcher dehors. Il faut laisser Hélène dormir, elle se lève demain matin.» Ils disparaissent tous les deux. Puis Jacques revient, prêt à sortir. Il m'entraîne dehors avec un geste presque violent. Je tiens difficilement sur mes jambes, mais il me force à marcher, à avancer vers nulle part, vers un futur qui n'effacera jamais l'horreur de ce présent.

À l'aube, nous entrons dans un restaurant où je dois
avaler des œufs, du pain, du miel et deux cafés. Ce n'est
pas complètement sot: je n'avais rien mangé depuis deux
jours. Les larmes coulent sans arrêt sur mon visage; je
laisse la peine recouvrir ma violence.

— Jacques, aie pitié de moi.

— Non, Josse, ce que tu vis dans le moment n'a rien
à voir avec moi. Je veux bien t'aider, te trouver un logement, tout ça, mais ton angoisse, c'est à toi de la vaincre.
Ça ne me regarde pas. Je veux bien parler avec toi,
t'écouter, mais nous sommes sur des routes différentes et
ton voyage ne m'intéresse pas. Je suis amoureux d'Hélène et je n'ai rien à faire avec toi.

— Mais, qu'est-ce que je vais devenir? Je suis seule,
Jacques. Il n'y avait que toi, je suis seule, je ne sais plus...

Nous sommes rentrés en silence. Hélène était partie
travailler. Elle avait laissé un mot sur la table: «Jacques,
cette femme a besoin de toi. Je m'installe chez un copain.
Tu viendras me chercher quand cette affaire sera réglée.
Prends le temps qu'il te faut. J'ai confiance en toi.
Hélène.» Quand il a levé la tête vers moi, j'ai reconnu sur
la figure de Jacques l'expression de terreur si souvent
observée sur le visage de mon père quand il fixait sa
femme rêvant sur sa chaise berçante. J'aurais voulu lui
dire: «Sois tranquille, pauvre nigaud, tu vas la retrouver
ta bonne femme, tu sais bien que je décolle d'ici dès
aujourd'hui!» Je n'ai rien dit. Je suis allée m'étendre sur
le divan et, pour la première fois depuis trois jours, j'ai
fermé les yeux. Je ne l'ai pas entendu sortir.

Il est rentré en trombe, un journal dans les mains.

— Bon, j'ai visité trois logements meublés qui pour-
raient t'intéresser. Il y a un sous-sol pas cher, assez propre, il y a un trois pièces au deuxième, sur un coin, très
ensoleillé, et puis...

— Je prends le sous-sol.

— On va les visiter tous les trois, si tu veux, on a le
temps, je ne rentre au travail qu'à six heures.

— Je prends le sous-sol. Allons-y.

Jacques est sorti de ma vie. Je suis entrée dans mon sous-sol. C'était dans l'ordre. Je trouverais du travail, j'occuperais un pupitre dans la vaste enceinte de béton érigée à la gloire de la bêtise humaine et je ne me lasserais plus d'observer le va-et-vient absurde de cette bande de demeurés prêts à commettre les pires sottises dans l'espoir d'occuper un jour le fauteuil de vinyle de notre supérieur immédiat. Le soir, je me glisserais dans la gueule du métro qui trace inlassablement son sillon comme une taupe géante. La nuit, j'écouterais la plainte sourde de la ville et je haïrais, plus fort que la veille, l'énergie délétère qui s'entête à couler dans mes veines. Je m'enfermerais dans mon sous-sol humide avec mes cauchemars et me délecterais des images poisseuses de mon existence: l'amas de graisse ronflant sur sa chaise, les yeux égarés de l'ivrogne noyé dans la bière, le désespoir de Louis, la témérité de Jean-Marie, le sperme laiteux des clients de l'hôtel coulant entre mes cuisses puis, comme un cri jailli du fond de mes entrailles, la trahison de Jacques! Je ne m'endormirais qu'après ma neuvième bière, après avoir examiné dans tous ses recoins l'implacabilité de mon destin. Après avoir arrosé une à une les racines de ma haine. Oui, l'amour sorti de ma vie, tout rentrerait dans l'ordre.

Chapitre 5

LE MONDE DE BLEUE

Je macérais donc dans ma haine depuis vingt-deux mois. Rien n'avait bougé, rien ne bougerait plus désormais. L'insignifiance de mon existence avait des saveurs d'infini. Il n'y avait rien derrière, rien devant. Ma peau avait durci, mon sang refroidi et je sentais pousser en excroissance, à la base de mon front, le dard des fourmis guerrières. Je ne quittais plus le ventre de la terre; plus une goutte de soleil ne parvenait jusqu'à moi. Ma plainte s'était tue. Le temps s'était arrêté. Je regardais au petit écran se dérouler la vie des autres, sans me sentir concernée par cette race étrangère. Autour de moi, on riait, on souffrait; cela ne me regardait pas. Dans une lointaine existence, quelqu'un m'avait souri, mais c'était une erreur; l'étranger avait aussitôt rejoint ses pairs. Je ne pleurais plus. Je respirais à petits coups, marchais à petits pas vers ma cache. Il ne fallait pas qu'on me découvre, c'était une question de survie.

Il m'arrivait encore de lire, mais je ne m'évadais plus, les régions imaginaires m'étant interdites. Je compilais les histoires dans ma tête, au même titre que celles entendues au bureau ou dans les wagons de métro, sans plus d'intérêt que celui éprouvé à classer les dossiers des requérants au bureau. J'accumulais ainsi d'absurdes informations sur les mondes qui éclataient dehors. Moi je vivais au-dedans de la terre; le soleil pouvait briller à sa guise, il ne m'éclairait plus. J'avais fermé les yeux.

Sorti de ma vie, l'amour n'avait pas pour autant été chassé du monde. Il s'entêtait à se vivre ailleurs, dans un espace interdit qui me fermait sa bouche, qui rejetait mon cri. Cette pensée, ravivait mon angoisse. L'évocation de Jacques, jadis porteuse de toute la tendresse du monde, accumulait en moi les réserves de venin que j'utiliserais, le moment venu, pour soumettre à ma haine tous ceux qui, par mégarde, oseraient lever les yeux sur moi. Et Jacques, l'ange rieur aux yeux étoilés, le prince termite semeur de rêves, serait ma première victime. Il devrait succomber au poison de mon regard. Je le forcerais à ouvrir les yeux sur ce qu'il avait fait de moi. Je ne le lâcherais plus. Il devrait souffrir à son tour, crier, supplier, ramper. Il devrait crever de peur à son tour, appeler au secours une foule qui n'entend pas, hurler un nom qui n'est peut-être plus le sien, creuser la terre et s'y cacher comme un avorton répugnant. Je voulais que Jacques vive cela en me voyant. Je croyais avoir assez de haine en moi pour lui arracher ce cri d'un seul regard. Quelle naïveté! Celui qui avait été insensible à mon amour, comment aurait-il marché à ma haine? C'était enfantin. Je l'ai compris en te voyant.

Car toi, Micheline, tu ne baissais pas les yeux. Tu venais vers moi en soutenant mon regard et, dans l'étreinte que tu me proposais, tu embrassais le monde. Ton regard crachait la lumière et traversait mes ténèbres les plus épaisses. Tu voyais ma détresse et tu ne fuyais pas. Tu ne tentais même pas de me calmer. Tu étais de la même race que Jacques, de ceux qui aiment en général, sans engagement, ni contrat, ni promesse, cela je le sentais, c'est pourquoi tu me faisais si peur. C'est pourquoi tu me fascinais aussi. J'étais venue haïr Jacques qui, une fois de plus, se défilait en exhibant son couple baudruche, je n'étais pas dupe et pourtant, je sentais ma carapace se fendre, ma peau s'ouvrir à la lumière. J'étais là devant vous, devant la joie totale jouant sur vos murs de dentelle, tu me vois empêtrée dans mon armure d'occasion, bouclier, casque, sabre et tout, tu ne te moques pas, tu ne détournes pas les yeux, tu me parles tranquillement de Bleue. Je baisse pavillon, bats en retraite, nous nous disons au revoir.

J'avais vu mon angoisse se poser sur ton visage sans altérer la paix qui émanait de toi. Je reviendrais. Tu savais que je reviendrais. Plus tard. Il me fallait d'abord retourner dans mon trou. Il me fallait entrer dans le ventre des choses.

Au fond de ma cache, j'ai affronté mes monstres, un à un, les mains nues, sans autre formule d'exorcisme que le chant de ma rivière blessée, que la plainte sacrée de ses eaux polluées logée à l'envers de ma peau.

Un jour, je suis sortie sur le trottoir et j'ai accueilli le soleil sur ma face. C'était samedi. Un beau samedi. Le ménage était fait. Mon trou était en ordre. Une voix est alors sortie de mon ventre et a dit simplement: «Bonjour, je m'appelle Josse.»

Je suis revenue te voir. Chaque fois, nous parlions longuement, à voix basse. Tu disais: «Josse, j'ai besoin de toi. Bleue ne peut pas exister sans toi.» Tu m'irritais. Tu avais tout: amour, aisance matérielle, sérénité. Tu inventais un personnage dont la perception touche l'essence des choses, une enfant équipée pour saisir la beauté du monde, une oiselle qui n'allait assurément pas s'accrocher les ailes dans la première nasse venue. Alors que moi, je n'avais rien que l'immense peine, l'insoutenable crampe de vivre. Qu'avais-je donc à t'offrir? L'eau apaisée du lac peut-elle envier le torrent? «Nous sommes liées, disais-tu. C'est la même eau, Josse; la source au sommet du glacier passe par la rivière pour trouver la mer.»

Je ne t'écoutais plus. J'avais besoin de Bleue, besoin d'imaginer que la lucidité pouvait se vivre sans angoisse, que la vie était bonne à prendre quelque part, que la beauté avait peut-être une chance de gagner la partie contre le chaos troublant de la bêtise humaine. J'avais besoin de saisir la ligne de démarcation entre l'imaginaire et la folie. J'avais besoin de savoir que le plaisir existe. Bleue nageait bien; elle m'apprendrait.

Peu à peu, mon trou devenait trop petit, inconfortable. J'hésitais, négociais, comme Bleue dans le ventre de sa mère. Le temps était venu pour moi de trouver une maison, de l'habiter, d'y accrocher mes rêves. La fourmi que j'étais se muait en oiseau. Je tremblais plus que jamais. Je cherchais des arguments et chacun de mes arguments masquait ma peur. On n'a pas idée de déménager en plein hiver! Aurais-je les moyens d'assumer une augmentation de loyer? Où trouverais-je des meubles à bon marché? J'aurais besoin de tout et je me méfie des objets, on est si vite envahi! Quel rapport établit-on avec des voisins de paliers? Non, vraiment, je ne me vois pas passant l'aspirateur à tout moment, époussetant des meubles, entretenant, comme toi, l'émail des éviers et de la baignoire! Je reste dans mon trou. Évidemment, dans un joli logement, je pourrais recevoir de la visite, je vous inviterais, Jacques et toi, et peut-être Louise, cette nouvelle copine au bureau qui travaille à l'ordinateur, oui, Louise et son ami Daniel qu'elle m'a présenté vendredi dernier... j'achèterais une chaîne stéréo, des disques de Brel, Montant, Vigneault, Ferré, des symphonies et surtout la Moldau, ce saisissant voyage d'une rivière si pareille à la mienne... Mais, je n'ai aucun sens de l'organisation, moi! Je n'ai jamais signé de bail. Je n'ai pas un sou de côté. Qu'est-ce que c'est encore que cette idée de bouger? Je suis très bien où je suis. Enfin, je m'accommode.

Tu souriais. Il fallait que je naisse. Bleue avait dit: «La clé du nouveau monde est une mère.» Moi, je naîtrais sans mère. Je ne trouverais que moi au bout de ma naissance. On a beau le savoir, c'est bête, on ne s'y fait pas. Être seul, dans un trou ou un palais, c'est souvent moche. Un jour, peut-être... Non, surtout pas de rêve. J'ai déjà payé.

Chaque rencontre me bouleversait. En rentrant, il m'arrivait souvent de t'écrire des pages et des pages de réflexions que je ne te postais pas. J'y parlais de Jacques, de la rancune qu'il m'inspirait encore, bien au-delà de mon désir défunt: on ne me ferait jamais avaler qu'un être a le droit de traiter quelqu'un comme il l'avait fait. Je revivais tout cela et je pleurais. Je te parlais aussi de ma peur de cette amitié qui s'ébauchait entre nous. Un jour, toi aussi, tu me plaquerais, tu écarterais Josse du revers de la main, puisqu'il fallait aimer sans contrat, ni rien. Que fait-on de la responsabilité du haut de vos murs de dentelle? Que veux-tu dire par «nous sommes liées»? Quand j'aime, moi, j'ouvre grand. Quelle place fais-tu à Josse dans le monde déjà surpeuplé — d'amour, d'amitiés, de travail et d'activités — qui est le tien? Le réconfort que ta présence m'apporte ne va-t-il pas brusquement se muer en désolation? Que veux-tu dire par «j'ai

besoin de toi, Josse»? Sais-tu seulement ce que c'est que
le besoin? Je me méfie de ton charme, comme j'aurais dû
me méfier de celui de Jacques. Je flaire le mensonge,
Micheline, tu ne m'auras pas!

Et pourtant, je provoquais ces rencontres, c'était
plus fort que moi, j'éprouvais tant de plaisir à te voir. On
aurait dit qu'à ton contact, un certain avenir se traçait
devant moi. Peu à peu et encore bien maladroitement, je
commençais à avoir prise sur ma réalité.

Un soir, pendant une grève des transports, vous
m'invitez, Jacques et toi, à dormir chez vous. Je suis mal
à l'aise, je ne sais pas si je dois accepter. Vous insistez.

Au lever, je viens à la cuisine. La table est dressée
avec trois couverts, tout est installé et je trouve un véritable jeu de piste composé à mon intention: le café filtre est
préparé, je n'ai qu'à actionner le bouton, je reçois l'ordre
écrit de mettre un œuf dans la casserole remplie d'eau,
déposée sur la cuisinière à cet effet, les céréales sont ser-
vies dans les bols, je n'ai qu'à sortir le lait du réfrigérateur, le grille-pain est bien en vue sur le comptoir et la
signataire espère qu'un morceau de soleil s'étirera sur le
coin de la table. Ah! oui — elle oubliait — l'invitée a le
choix entre le jus d'orange surgelé et l'orange fraîche.

Quel programme! Je n'avais jamais déjeuné. Deux
ou trois cafés, quelques cigarettes, j'étais dehors avant de
savoir ce qui m'arrivait. J'ai suivi les indications à la lettre. C'était merveilleux d'avoir tant de choses à faire dès
le lever. Le soleil s'étirait, en effet, sur la nappe. À cet instant, j'ai éprouvé le plaisir exprimé par Bleue devant son
bol de céréales et je me surpris à guetter, comme elle, chaque moment de vie qui puisse prolonger ce plaisir.

Depuis ce jour-là, — c'est un rite — je déjeune.
J'ai acheté une nappe, un service de vaisselle, je vais au
marché, j'ai un panier d'osier sur la table avec des fruits,
et plein de victuailles au réfrigérateur. Mon trou s'anime;
il y a des choses vivantes dedans. C'est bizarre mais le fait

de déjeuner, comme ça, tu ne vois pas ta journée de la même manière. Je prends contact avec moi avant que les autres ne m'abordent et alors, on dirait que je force ainsi les gens à m'aborder sur un ton différent. On ne parle plus à un objet qui exécute un certain nombre de fonctions plus ou moins utiles, on parle à quelqu'un qui a déjeuné: cela fait toute la différence du monde!

Un changement s'opérait. Le nœud d'angoisse desserrait peu à peu son étreinte. Mine de rien, je sortais de mon trou, d'abord pour acheter de la nourriture, des livres, ensuite pour me promener simplement dans la ville. Depuis deux ans que j'étais là, je ne connaissais encore de la métropole que trois stations de métro et la rue balisée d'arbres qui mène à votre maison. Je découvre que mon sous-sol débouche sur un quartier grouillant de vie avec enfants, fleurs, marchands de poissons, de café, de fruits, mini-potagers au fond des ruelles, passants affairés, préoccupés, pressés, dont l'existence commence à prendre un sens à mes yeux. Non, je ne suis plus d'une race étrangère. Je suis une femme qui occupe son espace sur le trottoir. Je fais partie de la rue. Je passe. Mon pas marque le pavé et mes pensées s'impriment sur la brique des maisons. Je deviens moi-même cette foule qui bouge dans tous les sens en quête d'un espace à conquérir. J'existe.

Quand je rentre chez moi, il n'y a plus de monstre, plus de cauchemar, plus de cri. La pièce prend vie peu à peu: un couvre-lit, des rideaux, des posters sur les murs, des tablettes pour les livres, des vêtements neufs dans le placard. J'occupe mon espace. Je commence même à entrevoir un espace plus grand, plus lumineux, plus chaud. L'idée fait son chemin.

Il m'arrive encore de passer des nuits à rêver en avalant bière sur bière, il m'arrive encore d'avoir peur, d'avoir mal, d'étouffer dans ma vie, de chercher un chemin, mais je sais, du moins que j'existe et cela je ne l'oublie pas.

Les événements s'enchaînaient. Au bureau, je sup-
portais de moins en moins les comportements stupides
érigés en normes. Un matin, mon supérieur me demande
«son» café. Je prépare tout: cafetière, lait, sucre, biscuits
et j'apporte deux tasses. J'entre dans le bureau, sers les
cafés et m'installe comme si j'avais été invitée. L'homme
est visiblement mal à l'aise, mais n'ose pas me chasser.
J'entame donc la conversation, m'informe de sa santé,
comment va l'épouse, les enfants sont-ils vaccinés contre
la grippe, a-t-il des projets, et tout? Le type s'embrouille,
répond comme à un inquisitoire, il est coincé, je charge,
comment aime-t-il son travail, a-t-il l'impression de réali-
ser son potentiel, s'entend-il bien avec ses collègues, son
patron est-il compétent, a-t-il un plan de carrière bien
précis? Il est effondré. À ce propos, moi je réfléchis beaucoup ces temps-ci et je songe à réviser de fond en comble
mon orientation professionnelle. Peut-il me conseiller?
Ce n'est pas une mince affaire, les postes sont rares, mon
bagage intellectuel est plutôt mince, qui sait, en patien-
tant quelques années, je pourrais peut-être envisager un
poste de secrétaire particulière? À propos de bagage et
d'intellect, il m'est venu une idée, qu'en pense-t-il, je vais
m'inscrire à l'université pour tenter d'obtenir un bac,
peut-il me fournir une lettre de recommandation?
Voyons, c'est ridicule, l'université ne m'acceptera jamais
avec un dossier aussi mince et quelle est cette idée de
poursuivre des études à mon âge, je ne suis qu'une
femme, je n'ai pas besoin... enfin, il eût sans doute été
plus réaliste de chercher un bon parti à vingt ans, à présent, évidemment... mais ce n'est pas impossible, il y a
des agences et... J'ai saisi le pot de café et j'ai commencé
à verser le contenu dans la tasse et le liquide débordait, et
je continuais à verser, et le café se répandait sur le pupitre, les papiers et coulait encore sur le pantalon de fortrel
gris de mon supérieur immédiat, et je versais, et le café
formait une belle flaque sur le tapis gold de mon supérieur et là, le rire s'est emparé de moi et s'est mis à déborder de moi, comme le café de la tasse de mon supérieur et
je voyais mon rire danser le long des murs et occuper l'espace de mon supérieur immédiat.

Bon, j'ai dû prendre une journée de congé non payée, mais quelque chose me dit que mes rapports avec les êtres se modifient. Je m'appelle Josse. Je suis vivante. Personne ne s'adressera plus à moi comme à une chose, parce qu'à présent je bouge. Je réagis. Rien ne me force à conserver ce poste dans ce bureau minable jusqu'à la fin de mes jours. Je peux tracer des plans. Retourner aux études par plaisir ou pour améliorer ma situation. Je ne suis pas complètement foutue. Quelque chose peut encore se vivre. J'ai trente-deux ans. D'aucuns prennent leur envol du sommet d'une montagne à vingt ans. Moi, j'ai mis trente-deux ans à m'extraire du puits où l'on m'avait enfoncée. Me voici enfin à l'air libre. Un toit de maison me suffira peut-être à déployer les ailes.

Oui, je me surprenais de nouveau à rêver et, cette fois, à tenter de concrétiser les images qui s'offraient à ma pensée. L'université, l'inaccessible mythe du vrai savoir, restait encore pour moi le phantasme le plus tenace. Je voulais tout apprendre: la géographie, l'histoire, l'anthropologie, la philosophie, la littérature, la psychologie, l'informatique, la biologie, la physique, la chimie, l'astrophysique, la linguistique, les mathématiques, tout. Par quoi commencer? Allait-on m'accepter, moi, Josse, trente-deux ans, sténodactylo, secondaire V décroché par oreille, culture générale acquise dans le journal du soir, les lignes ouvertes, les feuilletons télévisés, les mensuels d'actualité, de sciences ou de littérature, les bandes dessinées et quoi encore? Les livres, bien sûr, les montagnes de livres avalés goulûment, sans le moindre souci d'analyse ou de réfutation, auraient-ils leur poids sur la balance irréductible des comités de sélection? Quel serait le profil intellectuel de l'étudiante-postulante-Josse? On allait sans doute me poser une foule de questions, et surtout la première: que comptez-vous faire après vos études? Il serait déjà tard, vraiment très tard et, bêtement, je n'avais pas la moindre idée de la tête que j'aurais au seuil du troisième âge... Serait-ce une réponse acceptable pour l'ordinateur suprême de l'intelligentsia nationale? Sûrement pas. Non. Reprenons tout ça au début, ou à l'envers; en tout cas autrement. Qu'est-ce que j'ai le plus envie de connaître dès maintenant? Tout. ABSOLUMENT TOUT. La machine n'est assurément pas programmée pour traiter une telle information. Admettons qu'elle le soit. Continuons. Tout, mais quoi encore? Plus que tout: je veux comprendre. Bon, voici un élément nouveau. Vous voulez tout savoir dans le but de comprendre. Que voulez-vous comprendre? Ce que je veux comprendre? La vie, évidemment, ce que je suis, ce que nous sommes, ce qu'on essaie de faire depuis des millénaires sur cette foutue planète. Je veux comprendre l'espace, l'univers, l'énergie qui anime aussi bien les mondes microscopiques que les milliards de galaxies. Je veux utiliser la masse compacte des cellules nerveuses mystérieusement enfouies dans ma boîte crânienne. Pourquoi? Parce que tel est mon bon plaisir.

Je sentais confusément que certains éléments clochaient dans les réponses imaginaires proposées aux questions imaginaires de mon ordinateur imaginaire. Mais, c'était égal, comprends-tu, Micheline, je m'amusais. Je jouais. Je me retrouvais accroupie sur le prélart de la cuisine de mon enfance avec Louis et Jean-Marie, et je classais des blocs, et Jean-Marie intervenait dans mon classement, et Louis riait, et tout à coup, pour rien, à cause d'un chiffre ou d'un mot, on inventait une histoire qui nous transportait dans un ailleurs féerique où chacun de nous pouvait se tailler un espace à la mesure de son désir. Oui, de nouveau et plus fort, je jouais. Je jouais à m'inventer un avenir. Et je ne craignais plus de pousser le jeu aux confins du vraisemblable, car je ne risquais plus, après le rêve, de voir les portes de l'enfer s'abattre sur mon rire.

J'aime me souvenir de cette époque, Micheline, qui fut peut-être l'une des plus stimulantes de ma vie. Était-ce Bleue, l'enfant du sourire que je voyais grandir et dont le chant m'était aussi précieux que ma propre respiration? Était-ce ta présence dans mon entourage, le modèle

LE MONDE DE BLEUE   137

d'harmonie que ton monde représentait encore pour moi? Était-ce aussi, d'une certaine manière, le fait que toi tu semblais réussir cette histoire d'amour avec Jacques, ratée pour moi? Tout cela sans doute avait déclenché un processus irréversible: je pouvais vivre. C'était possible de vivre. Je posais des gestes. Je venais vers la lumière. J'avais vu Jacques goûter le soleil par sa peau et je l'avais trouvé beau. Je pouvais moi aussi goûter le soleil par ma peau. Je sentais l'énergie circuler dans mes veines. Il m'arrivait de fredonner des airs — comme j'avais entendu Jacques le faire si souvent — sous la douche, le matin. Le soir, j'étais chargée de vie à ras bord comme l'abeille qui rentre à la ruche. Je regardais. Je sentais. Je mangeais. Je dormais. J'avais conscience de vivre.

Bien sûr, je serais toujours vulnérable, à la merci de la première claque venue. Et elles venaient, évidemment, de tous côtés. Et je pleurais. Je maudissais encore mon existence. Je m'enfermais de nouveau dans le cul-de-sac de mon angoisse. Mais au bout de ma peine, j'entrevoyais une issue, m'y engageais doucement et repartais de nouveau droit devant moi vers un avenir qui semblait m'appeler par mon nom.

Je comptais m'inscrire comme étudiante dans l'une ou l'autre des huit disciplines choisies parmi l'ensemble des cours offerts par deux universités. On m'accepta en journalisme. Ça n'irait pas tout seul. Je devrais réviser mon mode de pensée, acquérir une méthode de travail, apprendre à départager ma perception des faits, à distinguer l'émotion de la raison. C'était nouveau, excitant, mais en même temps très exigeant. Mon regard se transformait. Je découvrais une tout autre perspective. Je me rendais compte enfin que ma vision des choses — aussi intéressante fût-elle — n'était en fait qu'une manière particulière d'appréhender le réel, les points de vue étant multiples. Et la vision des autres enrichissait la mienne. J'étais fascinée par ce phénomène. Il me poussait des oreilles. Sans me désintéresser de ma propre vie, je me sentais soudain concernée par celle des autres. Cette découverte reste pour moi, — encore aujourd'hui — fondamentale. En toute simplicité, mon univers s'était ouvert au monde. Il y avait place en moi pour l'accueil. J'étais enfin prête à aimer et ce désir naissant avait une saveur exquise.

Chapitre 6

AU BOUT DU PARC

C'est l'hiver. La neige recouvre tout. J'ai mis *la Fantaisie chorale* sur le tourne-disque, j'ai approché ma chaise de la fenêtre et je me berce doucement en suivant la trajectoire des flocons. Maman faisait ainsi à chaque première neige. Une étincelle de vie allumait alors son regard et j'imaginais qu'elle se lèverait enfin de la berçante pour reprendre sa tâche. Cela n'arrivait jamais, évidemment, et je la maudissais.

Pauvre maman! À présent qu'il m'est devenu possible de penser à ma mère en dehors de toute attente, je comprends mieux ses choix. Son cheminement. Ses paradoxes. La folie était son refuge, son terrier. Elle s'y abritait de l'injustice, de l'intolérable blessure qu'on lui avait infligée et qu'elle savait n'avoir pas méritée. Sa boulimie lui permettait de soustraire son corps informe aux assauts quotidiens de l'homme médiocre qu'elle avait dû épouser contre son désir. Elle avait vu trop loin. Elle ne se consolerait jamais de l'espace restreint dans lequel on avait voulu l'enfermer. Elle avait choisi l'agonie, croyant ainsi se venger de la vie. Quel gâchis!

Son cri était le cri sorti du ventre de toutes les femmes du monde. Maman a refusé de suivre le troupeau en marche vers l'abattoir. Elle a hurlé: «Non! La chaîne s'arrête ici.» Elle a payé le prix et le prix était fort. Je suis en paix avec elle. Nous sommes de la même race. Le geste de ma mère me permet aujourd'hui d'en appeler à une nouvelle race de femmes. Je porte Bleue en moi. Nous serons des centaines, des milliers à parler à voix basse, à tenter d'écrire Bleue. De faire quelque chose de possible avec elle.

Cinq ans ont passé déjà depuis notre première rencontre. Tu m'as trouvé ce logement à deux rues de chez toi, quatre pièces spacieuses ouvertes à la lumière du matin. J'y déjeune, m'y repose, j'y tricote ma vie maille sur maille. J'ai enfin un espace; je l'ai bien gagné. Je le conquiers encore pouce par pouce à force de grandir, à force d'accueillir l'énergie en moi. Des amours ont passé; d'autres se profilent. Je connais le plaisir d'échanger, la joie totale de l'extase qui allonge à l'infini l'instant du désir assouvi. L'homme de ma vie ne s'est pas montré, tant pis pour lui. Je ne fonderai plus ma vie sur un rêve. Je donne à chacun ce qu'il est en mesure d'accueillir. Je ne demande plus l'impossible. Je vis dans l'équilibre instable du funambule. Une paix relative m'habite et porte mon — si fragile encore — plaisir de vivre.

Je te vois sourire. Tu te dis: la voilà encore en plein délire verbal! Où va-t-elle donc s'arrêter? Je ne m'arrêterai pas, Micheline. Nulle part. J'ouvrirai toutes les voies, tous les passages. J'avancerai. J'ai découvert le pouvoir magique de la parole et je sais à présent que les mots peuvent donner naissance à des réalités. Bleue est passée en moi. Elle est sortie un jour de ton petit cahier posé sur la table en arborite de mon sous-sol miteux. Elle est entrée par mes yeux jusqu'à la racine de mon être. Elle ne me lâchera plus, tu comprends?

Bien sûr, tu vois où je veux en venir... Je t'en veux, Micheline, je t'en voudrai toujours d'avoir abandonné ce livre. Tu n'avais pas le droit! A-t-on idée de laisser, comme tu l'as fait, ce petit bout de femme de douze ans au milieu de son parc? Tu lui avais promis l'univers, ou tout au moins la terre, cette boule à l'envers dont la découverte la consolerait d'avoir été chassée de l'utérus et voilà que tu la plaques, sans lui fournir la moindre raison. Sans m'expliquer, à moi, Josse, ce que Bleue a bien pu faire pour mériter pareil sort. Tu es injuste, Micheline, irresponsable, volage, capricieuse! Ton comportement est inqualifiable! Oh oui! je sais, d'autres personnages te hantent, il y a tant de sujets à creuser, tant d'histoires à raconter, on ne peut pas être partout à la fois. Justement, il serait question de choisir. Je vais aller plus loin, Micheline: il serait question de courage.

Depuis cinq ans que j'ai les yeux braqués sur toi, je te regarde vivre et je t'avoue que malgré mes efforts pour comprendre qui tu es, tu m'échappes. Quand je crois tenir un indice, voilà qu'il se dissout aussitôt dans le tourbillon de tes paradoxes. Qui es-tu, Micheline? Que cherches-tu au juste?

Je me souviens, au début, je m'asseyais devant toi et je te disais: «Micheline, parle-moi de toi, je veux te connaître.» Tu commençais à parler, tu m'offrais des bouts de vie épars et, sans m'en rendre compte, la lumière s'était tournée vers moi et nous parlions de Josse. J'étais fascinée par ton attention, par ta qualité d'écoute. Comment une femme aussi sereine, aussi choyée par la vie pouvait-elle s'intéresser à l'angoisse des autres? Je repartais, ravie de ma soirée; j'en aurais pour des jours à ressasser tout ça, à tenter de reconstruire la nouvelle Josse sur les bases de l'ancienne. J'étais à tel point absorbée par ma propre existence que je ne t'avais pas vue te défiler. Tu ne m'avais rien dit de toi.

Plus tard, j'arrivais chez toi armée d'une foule de questions choisies, soupesées, ordonnées, et là, je te guettais, tu ne m'échapperais pas; mais sans avoir pu saisir le moment de la fuite, tu m'avais entraînée dans le cheminement spécifique et rigoureusement original d'une demi-douzaine de tes amis. Je me plaignais: «Micheline, tu ne me parles jamais de toi. Tu dois bien avoir des peines, toi aussi, des frustrations, des manques, je ne sais pas. Pourquoi te places-tu d'emblée au-dessus de la vie, comme si rien ne pouvait t'atteindre, comme si la crasse de la rue n'avait aucune prise sur tes rideaux de dentelle? Avec ce sourire sur la face, ce beau fixe dans ta maison, te crois-tu à l'abri de l'humanité souffrante? Tu mens, Micheline, ton silence est le pire des mensonges!» Tu répondais: «Qu'est-ce que tu veux savoir, au juste?

— Mais tout, depuis le commencement. Qui es-tu? T'arrive-t-il d'avoir mal, toi aussi, de te sentir petite, seule, oubliée en plein désert, sans une goutte d'eau pour étancher ta soif? T'arrive-t-il d'être une pauvre femme comme moi, qui bûche, se bat, tâtonne, braille un bon coup, se relève, repart, s'accroche encore, sans savoir au juste où elle va et ne trouve finalement qu'un trou infect où abriter sa peau? Parle-moi de toi!

— Josse, quand je parle des autres, c'est de moi dont je parle. Personne n'est au-dessus; on est tous dedans, mais vraiment jusqu'au cou.»

Je comprenais que nous n'irons pas plus loin. J'attendais qu'il se produise un événement, quelque chose de subit, un choc peut-être, qui te révélerait à moi.

Il vint. Brutal. Implacable. Sans équivoque. Jacques décida un matin de te quitter pour aller se faire voir ailleurs. Tu m'apprends la nouvelle par téléphone. Je suis sidérée. Souffle coupé. Oreilles molles. Cœur passé au hachoir. Je la reçois comme une rondelle de hockey en plein front. Merde! Nous y voilà! je suis d'emblée au plus fort de mes regrets d'avoir — d'une certaine manière — souhaité la catastrophe qui te tombe dessus.

— Comment te sens-tu, Micheline?

— Je suis très occupée, tu comprends, Jacques n'a pas intérêt à s'éterniser ici, alors il faut préparer le déménagement, aller peindre le nouvel appartement, trouver des meubles, établir un juste partage de nos effets communs, réorganiser ma propre maison, c'est tellement différent, habiter seule. À propos, j'ai décidé d'acheter un nouveau lit, je le veux en pin, tu sais, avec des montants hauts, puis j'ai vu une bibliothèque qui m'intéresse, il y a longtemps que j'ai envie de classer mes livres autrement. Alors, ça y est, je donne le coup et, tu sais, je me rends compte que le salon a besoin de peinture, j'ai envie qu'il soit rose avec les moulures blanches, qu'en penses-tu? Il me semble qu'avec la causeuse en velours brun et les plantes vertes, la pièce va dégager une douceur irrésistible parce que, pour le moment, j'ai besoin de douceur, oui, d'une tendresse infinie...

— Tu veux que je vienne te voir, ou plutôt non, qu'on sorte manger ensemble, je viens te prendre dans dix minutes...

— Écoute, Josse, en ce moment, je n'ai pas une minute à moi, je suis débordée, il me reste encore trois émissions à écrire avant la fin de la série, alors, tu comprends, avec le branle-bas, c'est difficile de m'échapper, je n'aurai pas une soirée libre avant trois semaines, un mois... Mais j'oubliais de prendre de tes nouvelles. Comment vas-tu?

— Moi? Mais je vais très bien, il ne s'agit pas de moi, Micheline! Je veux t'aider.

— Tu es gentille, Josse, mais ce ne sera pas nécessaire, on a la voiture, Jacques peut faire plein de courses pendant la journée, ça va aller un peu vite, oui, mais très bien, je t'assure. Bon, il faut que je te laisse, je te donne des nouvelles plus tard. Au revoir.

Et hop! J'étais court-circuitée dans mon opération remorquage! L'acrobate venait une fois de plus d'exécuter son numéro de haute voltige sous les yeux ébahis d'un public mort d'angoisse! La colère montait en moi comme un coup de sang. Je t'imaginais avançant humblement vers le proscenium pour recueillir les applaudissements de la foule en délire. Je m'usais les yeux à force de fixer ton visage qui ne révélait encore de toi que ce mince voile posé sur ton sourire. Trois belles années, disais-tu, gorgées de rires et d'étoiles filantes. Un beau bilan. Il ne s'agissait plus que de réorganiser ton espace en fonction de ce nouveau présent. On tourne la page: place au prochain livre. Facile à dire! Non!!! Tu ne m'auras pas!

Et moi, alors? Qu'est-ce que je deviens, moi? Le départ de Jacques m'offrait une chance de sceller cette amitié que nous avions nouée. Je pouvais enfin devenir pour toi la sœur de sang que tu avais été pour moi. Je voulais être celle qui recueillerait tes larmes dans ses mains. Tu n'avais pas le droit de te défiler! De te lancer dans ce vol plané au-dessus de l'océan de crasse, telle l'oiselle géante dans son élan trans-atlantique! J'avais l'air fin, moi, avec mon bagage de compassion!

Non, ça ne se passerait pas comme ça! Je voyais en toi, Micheline, beaucoup plus loin que toi-même. Il était question d'anesthésie locale, de fixation psychotique du côté de la joie de vivre, de refus systématique de la souffrance; et ce refus portait un jugement sur la nature humaine en général et sur ton amie Josse en particulier. Je ne te laisserais pas faire. Je te sauverais malgré toi, sororalement au nom même de cette relation établie entre nous, que tu risquais de balayer du revers de la main.

Jacques te quittait, oui ou merde? Oubliais-tu les heures que nous avions passées ensemble à recoller les morceaux épars de la Josse éclatée par le geste si pareillement inconsidéré, posé par le même enfant brute à la voix intergalactique? De deux choses l'une: (et là, non, pas question d'une troisième!) ou bien tu souffres et tu l'ignores, ou alors tu refuses de partager ta souffrance avec moi, ne voulant à aucun prix quitter le haut du palier où notre relation t'a mise dès le moment de notre première rencontre. Ne pas perdre la face! La grande Micheline! L'indestructible, l'invulnérable, l'extra-terrestre Micheline! L'obésité affective! La source intarissable! La machine increvable tout terrain! Bien sûr, c'était cela et rien d'autre! Comment expliquer autrement ce défi méprisant la plus élémentaire décence en regard même de sa propre souffrance? Une certaine forme de courage ostentatoire négocié du bout des yeux contre un constat de défaite devant l'absurdité de l'angoisse humaine! Tu n'avais pas le choix. Il fallait que tu te places au-dessus. C'était la victoire éclatante, faute de combattant! Je venais de te surprendre en flagrant délit de fuite devant l'adversité posée par toi comme irréelle. Tu sais ce qu'on aurait dit de toi en clinique? Comportement schizoïde à caractère galopant devant l'impondérable. Voilà. Oh! là! là! Comment te tirer de là? Ce n'était pas une mince affaire, crois-moi!

Je me suis aussitôt mise au travail. J'ai lu, pris des notes, compilé, consulté des copains, discuté de ton cas avec tout le sérieux que tu me connais quand il s'agit d'aborder une question cruciale. C'est qu'il fallait gagner du temps; chaque minute comptait, t'enfonçait un peu plus dans ta détresse. C'était une question de sauvetage contre le gré de la naufragée! Je me trouvais devant des éléments avec lesquels il m'était difficile de composer; comment forcer quelqu'un à regarder la réalité malgré elle? Un des principes de la théorie de la communication stipule même l'inutilité de fournir à un récepteur une information qu'il n'est pas en mesure de traiter. Je m'emboutais. J'étais moi-même enlisée dans tes sables mouvants. Plus le temps passait, plus je me sentais abattue, brisée, vidée. Mais je ne pouvais pas me résigner. Au fond de moi, le cri refusait de se taire. Jamais je ne t'abandonnerais à ton sort! Je te sauverais, Micheline! Bon, tu n'avais pas le choix de te boucher les yeux: j'aurais des yeux pour deux!

Après trois semaines de ce régime, j'ai eu besoin d'un congé. On m'a dit: «Josse, regarde-toi dans une glace, les cernes vont te manger tout le visage, va te coucher, ou te promener, ou t'amuser, n'importe quoi, mais va te sentir.» Je me suis écroulée dans mon lit et j'ai dormi pendant deux jours.

À mon réveil, d'où m'est venu ce réflexe? j'ai cherché le manuscrit de *Bleue* déjà jauni et laissé en plan. Je l'ai relu lentement, en m'efforçant de respirer les phrases jusqu'au bout de mon souffle. C'était une dose massive de vitamines soleil. Je me suis laissée couler dans Bleue, confiante, accordée à la mouvance de son plaisir de vivre, heureuse enfin de quitter l'anxiété que ton problème existentiel me causait. Bleue avalait mon cri et déposait ses notes, une à une, dans chaque bulle d'espace consentie à force d'épuisement. Et je sentais mon ventre perdre son poids. Et je sentais le cœur de Bleue occuper le lieu étonnamment désert de mon angoisse. J'avais voulu comprendre; j'acceptais de sentir. Je quittais doucement le terrain de la performance pour pénétrer dans le parc de

Bleue, où personne n'a le haut ni le bas du palier parce
qu'il n'y a aucune échelle; où ni le jeu, ni la connaissance,
ni l'amour ne se vivent en termes de gagnant ou de perdant, de supérieur ou d'inférieur, de meilleur ou de pire.
Je lisais, à chaque ligne, la souffrance de Bleue muée en
joie. Je découvrais le questionnement angoissant de cet
être vivant devant ce que les hommes, depuis des millénaires, ont fait avec la vie. Car Bleue, oui, c'est la vie
pure, dépouillée de toute construction encombrante qui
risque de fermer le passage à l'énergie.

Bleue n'a jamais été meilleure que moi, ou plus
forte, ou plus lucide, ou plus courageuse, ou plus belle.
Bleue, c'est la vie en moi, l'énergie qui m'anime et qui n'a
pas le choix de se faire rivière. Bleue, c'est la vie en toi
quand, quelque part, l'eau se dessine un lac et s'y repose,
le temps de repartir plus fort vers cet ailleurs qui l'appelle. Bleue, c'est la conscience, la terrible exigence de
vivre.

Quel voyage! Au sortir du sommeil, j'acceptais
enfin de quitter le champ de la connaissance pour aborder celui de la conscience. Le sol y était bien aussi solide
que là-bas, mais comme le paysage se transformait! Tu
avais épuisé, à force de sourire, toutes mes stratégies. Je
ne te connaîtrais jamais, mais je pouvais désormais te
savoir autrement. Et saisir avec toi, pêle-mêle, sans classer, ni nommer ni rejeter quoi que ce soit, la paradoxale
harmonie de l'univers.

J'étais venue vers toi, coulée dans ma souffrance; tu
m'avais accueillie avec elle. Mais je m'étais trompée chaque fois que j'avais tenté de dissimuler Josse sous ses
montagnes de crasse. Ma souffrance ne t'importait qu'en
regard d'une des nombreuses manifestations de la vie
passée en Josse. C'est moi, Josse, que tu aimais. C'est la
vie pure qui te touchait, qui allumait ton regard comme
un volcan. Le terrain de l'angoisse restait pour toi
vacant. Non pas que tu t'en imagines exclue, bien au contraire. Oui, tu te savais dedans jusqu'au cou, comme
moi, comme tout le monde, mais rien de ce qui se

vivait — et à quel prix? — ne devrait passer à côté de toi. Tu te tenais debout, aux aguets, et l'exercice pour toi consistait chaque fois à exorciser la souffrance pour libérer la vie car c'est à la vie qu'il faut boire.

Tu m'as conduite par ton silence au bout de ma propre impasse. J'avais été tentée de rompre, de couper les ponts avec toi et pourtant je savais que notre relation resterait inchangée: ce qui nous liait n'avait rien à voir avec les up and down du accroche-toi, j'arrive. Tu avais échappé à toutes mes tentatives de me déguiser en docteur Welby; tu n'allais pas m'aider à revêtir l'uniforme! Dans mes pires moments de détresse, tu n'avais pas tenté de me sauver. Tu avais pris le temps, simplement, de regarder la vie en moi et de la trouver belle. C'est cela qui m'avait sauvée. Tes yeux devenaient des miroirs et m'offraient une Josse investie de toute la dignité du monde.

La souffrance chez Bleue n'offre aucune prise à la pitié. Tu n'as pas eu pitié de moi; je n'aurais pas pitié de toi. Pire: tu n'éprouverais pas de pitié envers toi-même. Tu savais que le temps perdu à t'intéresser à autre chose qu'à la vie coûtait cher: il risquait de briser ton contact avec Bleue. Et tu as besoin de Bleue.

Tu ne t'étais pas moquée de moi. Il n'y avait eu aucun spectacle. Tu n'attendais aucun public. Tu ne faisais que tenter, dans ce nouvel espace à créer, d'ouvrir toutes grandes les portes à la vie.

Assise, comme le faisait maman, sur ma chaise berçante, je regarde la neige qui n'en finit plus de se poser sur la ville. L'eau s'est cristallisée. J'y vois en transparence le beau visage de ma mère. Je l'accueille souffrante, sans chercher à démonter la trop complexe machine qui a creusé son puits. Sans forcer son silence. En laissant se tisser entre nous le temps des notes bleues.

J'ai eu besoin de Bleue. Bleue a besoin de moi. Aujourd'hui, enfin, du bout des yeux, j'ai le goût d'écrire Bleue.

Le livre de Bleue

D'aussi loin que je fouille dans mes souvenirs, j'ai l'impression qu'elle a toujours été là. «Bonjour, je m'appelle Bleue», m'a-t-elle dit un matin, et depuis... Cette rencontre ne m'avait pas surprise. Tout au plus avait-elle remué le flot d'images qu'on croit effacées et qu'on porte pourtant en soi, sans savoir... sans savoir qu'on se souvient de tout. Jusqu'au bout.

J'étais encore bien jeune à l'époque, aspirée par une rage de vivre dont je situais le torrent en dehors de moi, dans l'avalanche des événements qui m'arrachaient — semblait-il — à moi-même. Ce n'est que plus tard, à l'heure des cheveux blancs, que j'ai compris. Mais... comprend-on jamais?

Je l'avais trouvée, un matin d'automne, dans le parc de mon enfance. Je la voyais venir vers moi, du bout de l'allée où je m'étais engagée et je ne fus pas étonnée, au moment de la croiser, de voir la vieille dame s'asseoir sur le banc, posé là sans doute depuis toujours. Il est des images sur lesquelles on ne s'attarde pas tant elles nous paraissent familières. La petite femme assise sur ce banc du parc de mon enfance semblait accordée de toute éternité aux grands ormes, aux allées échevelées, au kiosque à musique oublié là distraitement par un magicien de passage.

— Bonjour, je m'appelle Bleue, me dit-elle au moment où j'allais passer devant elle. Voulez-vous vous asseoir? Voyez, ce matin, j'ai apporté deux oranges, comme si je m'attendais à vous rencontrer. Vous aimez les oranges?

— Oui, merci, lui dis-je en m'asseyant auprès d'elle.

À cet instant précis, j'oubliai qu'on m'attendait à l'autre bout du parc, j'oubliai la réunion de l'équipe de la rédaction convoquée pour débattre les nouvelles politiques de notre magazine, j'oubliai que jamais avant cette minute je n'avais manqué à un rendez-vous. Un mécanisme irréversible s'était en quelque sorte déclenché en moi et il n'y eut de réel que ce présent qui s'allongeait infiniment, que cette petite bonne femme au regard d'acier venue vers moi pour m'offrir, dans ce matin d'automne, l'orange qu'elle m'avait destinée.

— C'est votre parc, n'est-ce pas?

— Comment avez-vous deviné?

— C'est aussi le mien. J'y ai marché mes premiers pas et j'y marcherai sans doute mes derniers.

— Vous habitez dans le quartier, je suppose?

— Oui, vous voyez la maison de brique qui fait le coin avec la ruelle? J'y habite.

— Mais... c'est la maison de mon enfance! Nous l'avons quittée — je devais avoir douze ans — pour nous établir en banlieue.

— On croit habiter une maison et c'est elle qui nous habite. Vous passez souvent par ici?

— Non, jamais. Ce matin, avec ce soleil, j'ai eu envie de marcher dans les feuilles, je ne sais pas...

— Je comprends.

Le silence était bon. La vieille enfouissait les pelures de son orange dans la poche de sa robe; je déposais les miennes dans mon sac à main. Des gens pressés défilaient devant nous. Des enfants, au loin, couraient avec un ballon. Le parc était resté le même depuis vingt ans.

— Pas tout à fait le même, intervint la vieillarde en poursuivant ma pensée. Des arbres ont été abattus, d'autres ont grandi, d'autres encore ont été plantés et occupent un espace autrefois vacant. À mon âge — j'ai soixante-seize ans — je suis forcée de constater qu'aucun des voisins de mon enfance n'habite plus sur cette *rue. Ils sont ailleurs et pourtant je les vois comme vous me voyez. Ils sont entrés, pour ainsi dire, à l'envers de ma peau. Chacun d'eux coexiste avec le nouveau, comme le maillon d'une chaîne infiniment longue, infiniment complexe et variée. Toute la vie se joue ici, dans ce parc, vous ne croyez pas?*

La question me prenait au dépourvu. À trente-deux ans, on a des fourmis dans les jambes, on veut voir large, on veut tout savoir, on bouge, on est partout à la fois et surtout ailleurs et loin; et la vie a plutôt l'air de se jouer en Argentine, en Australie, en Écosse, partout où l'on n'a pas eu le temps de se rendre, enfin n'importe où ailleurs que dans ce parc qu'on connaît comme le fond de sa poche quand on y a vécu les douze premières années de sa vie.

— Aujourd'hui, je regarde la vie de l'autre bout du parc, continua Bleue sans attendre ma réponse. De ce point de vue, il m'est amusant de remarquer que tout ce que j'ai vu, senti, aimé au cours de ma vie était déjà ici, enfermé dans ce minuscule carré de verdure, bordé par une centaine de maisons où se côtoient, pêle-mêle, des amours, des guerres, des jeux, des projets, des angoisses, des joies, et des drames; que les événements de ma propre existence se fondent et s'harmonisent au tableau déjà chargé de la complexe démarche vers l'avènement de l'être humain. Je m'appelle Bleue. Je suis la tache de couleur indispensable à l'accomplissement du tableau. Je ne suis rien d'autre qu'une femme qui est passée dans ce parc pour le charger d'une étincelle d'énergie, et pourtant, cette conscience de ma nécessité me permet de goûter la vie jusqu'à l'enivrement. Vous me trouvez folle, n'est-ce pas?

Je ne portais pas de jugement. Il m'arrivait une masse d'informations avec lesquelles je ne savais pas composer, c'est tout.

— J'ai laissé la vie entrer en moi et sortir de moi par mes yeux, mon cœur et mon sexe. Rien n'est resté. Rien ne s'est perdu. Je suis là, dans ce parc, depuis toujours et pour toujours. Je suis le plaisir, le terrible plaisir de vivre.

Je ne l'avais pas vue partir. Seule, sur le banc du parc de mon enfance, j'avalais mon dernier quartier d'orange en fixant comme une somnambule la petite ᷄ maison de brique qui fait le coin avec la ruelle. Je serais en retard à ma réunion. Je ne reviendrais plus avant longtemps dans ce parc. Ce soir-là, j'eus la surprise de découvrir dans mon sac de vieilles pelures d'orange séchées qui dégageaient une forte odeur de pourriture. Je ne me souvenais pas d'avoir mangé une orange au cours de la journée. Je ne me souvenais pas de m'être arrêtée dans ce parc. Je ne me souvenais vaguement que d'un mot, d'une couleur: bleue.

Aujourd'hui, c'est l'automne, ce même matin chargé d'or qui m'avait jadis attirée dans le parc. Je me suis habillée lentement et j'ai pris deux oranges avec moi. Je descends l'escalier presque à reculons; mes jambes ont faibli. Je traverse la rue et je m'engage dans l'allée. Elle vient. Elle est là. Il me reste si peu de temps et j'ai encore tout à dire.

— Bonjour, je m'appelle Bleue. Voulez-vous vous asseoir?